Trato Hecho

Maria Shepherd and Robert Taylor

Hodder & Stoughton
LONDON SYDNEY AUCKLAND TORONTO

Acknowledgments

We should like to thank Fox's Biscuits Ltd. of Batley, Yorkshire for their initial agreement and subsequent help in the production of this course. It should be stressed from the outset that the contents, although based on real practice, do not reflect the specific policies followed by the Company. We are particularly grateful to Mr R. K. McGregor and Mr Graham Speake of Fox's for the information and material supplied.
We should like to thank the following for allowing us to reproduce material : Iberia, Casa Pozo, Leon, Alimentaria SA, Actualidad Económica.
Thanks are also due to Mr Alberto Retana for his valuable linguistic advice, to Mrs Jill Rose for deciphering our handwriting and ensuring the script was logically presented, to Mr Alfonso Masia for supplying legal material and advice.
We should also like to express our gratitude to the students of Buckinghamshire College and to the authors of *Marché Conclu*, our colleagues Kay Heppell, Nicole Roberts and Edith Rose.

British Cataloguing in Publication Data

Shepherd, M. J. (Maria J.)
Trato hecho
1. Spanish language
I. Title II. Taylor, R. H. (Robert H.) 460

ISBN 0 340 49412 3

Phototypeset by Gecko Limited, Bicester, Oxon.
Printed and bound in Great Britain for the educational publishing division of Hodder and Stoughton Limited, Mill Road, Dunton Green, Sevenoaks, Kent by Thomson Litho Ltd, East Kilbride.

Contents

Introduction

In recent years foreign language learning in Britain has changed rapidly both in terms of new teaching and learning techniques, and in the orientation of subject matter. Business-related language courses are becoming increasingly popular particularly in higher education and with businessmen who feel the need to communicate with their counterparts in a foreign language.

Despite a number of courses and materials recently produced, we feel that resources for this new orientation in language teaching in Spanish are limited. This text and associated cassette material are a modest attempt to add to these resources. It is our hope that they will be particularly useful on courses in higher and further education where a vocationally orientated programme of learning is sought in order to convert an existing basic knowledge of Spanish into active use of the language within the specific area of business studies with languages: Degrees with a substantial language element, Higher National Diplomas, e.g. bilingual secretarial studies and travel and tourism, short courses for businessmen and postgraduate courses in business where intensive language learning is offered.

The approach adopted in the text and cassette of *Trato Hecho* is one we have developed over a number of years of experience in teaching Spanish on both long and short programmes of study in the specific field of export marketing. In particular, we believe that there are specific basic skills in a foreign language which many present and future exporters lack. This course is an attempt to overcome this deficiency. Our ideas are by no means original nor particularly innovative but we have attempted to incorporate three principles throughout the course. They are:

(1) Spanish and Export
A feature of the course is the emphasis on the field of import-export business negotiations in Spanish. We have attempted to outline some of the basic situations in which a British businessman or woman would find him or herself when dealing with Spanish counterparts. In particular we have used examples drawn from the practical experience of existing British companies.

(2) Acquisition of Oral/Aural Skills
Until recently language teaching, both in school and in higher education, concentrated on written skills in translation at the expense of more immediately useful linguistic skills. Throughout this course we have attempted to focus upon the acquisition of oral and aural skills. The spoken dialogue at the beginning of each unit forms the basis of grammatical and practice exercises, role plays, comprehension questions and varied tasks most of which are to be exploited orally. The accompanying cassette is an integral element of the course. Students are advised to use the cassette as a resource as important as the written text itself.

(3) Self-teaching
For many businessmen and, increasingly, for students in higher education, the amount of time available to be spent in learning a foreign language in class is very limited. We have tried to recognize this by providing flexible materials and tasks which will lend themselves both to traditional exploitation in class and to a self-learning approach where the student would concentrate on the acquisition of Spanish for clearly defined business situations.

Content

The course consists of twelve separate units all recorded on cassette. Each dialogue takes the student a stage further in his progress, from simple activities like handling airport and hotel bookings to some quite complicated negotiation sessions prior to the clinching of a deal and reviewing and progress of an agency agreement.

Around each dialogue is structured a set of exercises, questions and tasks along the following lines:

* Comprehension questions in Spanish on the dialogue
* Re-translation exercises
* Practice exercises on points of grammar and use of expressions
* Role play stemming from the dialogue
* Student tasks related to the subject of the unit

All Spanish elements of each unit are recorded on the accompanying cassette.

We have included an extensive grammar reference section with easy reference to Prácticas exercises throughout the book. We hope that these will widen the scope of the course and enable it to be used on courses without reference to other sources.

Synopsis

Mr John Richardson is the Export Sales Manager of Fox's Ltd, a biscuit manufacturer of Batley, Yorkshire. His company has several years' successful experience exporting its products to other European countries and to the Middle East.

Fox's has decided to extend its operations to Spain and on the advice of the BOTB, contacts a distributor in Madrid. The course follows the progress of Mr Richardson in his dealings with Vendalsa (the distributor) : from the initial negotiations to the discussion of the Spanish market, the potential contribution of each party, the drawing up and signing of a contract, attendance at a trade fair and a review of the achievements after one year's operation of the agreement.

Nos interesa el mercado español.

By Appointment to Her Majesty
Queen Elizabeth The Queen Mother
Biscuit Manufacturers
Fox's Biscuits Ltd., Batley

Fox's Biscuits Ltd.

P. O. Box No. 10 Batley
West Yorkshire WF17 5JG
Telephone: Batley (0924) 444333

Telex: 557792 FOXBAT G **Fax: Batley (0924) 470200**

Sr Pedro Laguna
Vendalsa
Agustin de Foxa 25
28002 Madrid

2 de mayo

Muy Señores nuestros:

Les escribo de parte de la empresa Fox's de Batley, Inglaterra. Esta compañía se dedica a la elaboración de galletas de alta calidad por las que disfrutamos de una reputación de excelencia tanto en el mercado interior como el exterior. Llevamos varios años exportando a países de la Comunidad Europea y del Medio Oriente y ahora nos interesa el mercado español.

Hace una semana asistí a un coloquio sobre España organizado por el B.O.T.B. en Londres durante el cual nos dieron los nombres de distribuidores eventuales. Su empresa destacó por la experiencia que tienen ustedes en la representación de otras compañías del sector de la alimentación.

Con este fin pensaba ir a España durante el mes de junio y en cuanto sepa las fechas exactas de mi visita, me pondré en contacto con ustedes para concretar una cita.

Les saluda atentamente,

J.R.Richardson
Director de Exportaciones

Registered No. 313761 England
Registered Office: P.O. Box No. 10 Batley West Yorkshire WF17 5JG

Concretando una cita por teléfono

Mr Richardson marca el número.

Recepcionista —Vendalsa, dígame.

Mr Richardson—Buenos días, señorita, quisiera hablar con el Sr Pedro Laguna, por favor.

Recepcionista —¿De parte de quién?

Mr Richardson—¿Del Sr Richardson de la Compañía Fox's de Inglaterra.

Recepcionista —Perdone. No le oigo bien. ¿Puede repetir su nombre?

Mr Richardson—Soy el Sr Richardson: R-i-c-h-a-r-d-s-o-n de la compañía Fox's: F-o-x's.

Recepcionista —Usted llama de Inglaterra, ¿verdad?

Mr Richardson—Sí, exacto.

Recepcionista —Espere un momento, por favor. Le pongo con su secretaria.

Secretaria —Buenos días. Soy la secretaria del Sr Laguna. Lo siento, pero no está en este momento. ¿Qué quería usted?

Mr Richardson—El caso es que hace poco mandé una carta al Sr Laguna en la que le proponía la posibilidad de trabajar juntos. Como voy a ir a España la semana que viene, le llamaba para concretar una cita. Estaré en Madrid a partir del 9 de junio.

Secretaria —Un momento . . . Voy a consultar su agenda. Mmm . . . Está libre el viernes día 13 a las 10. ¿Le viene bien?

Mr Richardson—Sí, muy bien.

Secretaria —Entonces, el viernes día 13 a las 10 de la mañana. Se lo diré al Sr Laguna en cuanto venga y lo confirmaremos en seguida. ¿Tiene usted telex?

Mr Richardson—Sí, claro. Es el 557792.

Secretaria —Muy bien, confirmaremos la cita por telex. Muchas gracias por su llamada.

Mr Richardson—A ustedes. Hasta la semana que viene, entonces.

Useful phrases and expressions

Quisiera hablar con *I'd like to speak to*
¿Me pone con . . .? *Could you put me through to . . .?*
Le pongo con . . . *I'll put you through to . . .*
¿De parte de quién? *Who's calling?*
A partir del 9 de julio *From July 9th*
¿Le viene bien? *Does that suit you?*
En cuanto venga *As soon as he comes*
¿Podría usted confirmarlo? *Could you please confirm it?*
al menos *at least*
por escrito *in writing*
por teléfono *by telephone*
por telex *by telex*
Saludos *regards*

Conteste a las preguntas siguientes

1 ¿Con quién quiere hablar el Señor Richardson?
2 ¿Por qué tiene que repetir su nombre el Señor Richardson?
3 ¿Por qué no puede hablar directamente con el Señor Laguna?
4 ¿Cuándo mandó el Señor Richardson la carta a España?
5 ¿De qué hablaba en la carta?
6 ¿Cuándo estará el Señor Richardson en Madrid?
7 ¿Qué hace la secretaria antes de concretar la fecha?
8 ¿Cómo se confirmará la cita?

¿ Cómo se dice en español?

1 I'd like to speak to the sales manager please. (director de Ventas)
2 Who's calling?
3 I can't hear you very well.
4 I'll put you through to his secretary.
5 I'm sorry, but he's not in.
6 I suggested the possibility of working together.
7 I'm going to Spain next week.
8 I was ringing to make an appointment.
9 From the 9th onwards.
10 Does that suit you?
11 I'll tell him as soon as he comes back.
12 We'll confirm it by telex.

Ahora le toca a usted.

In the following dialogue you play the part of John Richardson.

Secretaria —Vendalsa. Dígame.
Mr Richardson—*Good morning. I'd like to speak to the Managing Director.*
Secretaria —¿De parte de quién?
Mr Richardson—*Mr Richardson, from Fox's, England.*
Secretaria —Lo siento. No le oigo bien. ¿Puede repetir su nombre?
Mr Richardson—*Richardson, R-I-C-H-A-R-D-S-O-N de Fox's, F-O-X's*
Secretaria —Usted llama de Inglaterra, ¿verdad?

Mr Richardson—*That's right. I wrote to Mr Laguna a short time ago about the possibility of working together. As I'll be in Madrid next week, I'm ringing to make an appointment.*

Secretaria —Un momento. Voy a consultar su agenda. Está libre el viernes día 13 a las 10. ¿Le viene bien?

Mr Richardson—*Yes, that's perfect. Could you confirm by telex?*

Secretaria —Sí claro. Muchas gracias por su llamada.

Mr Richardson—*Thank you very much.*

Prácticas

I Practise* hace + *time + preterite *[GS2]*

Example: ¿Cuándo mandó usted la carta? (hace poco)
Mandé la carta hace poco.

—¿Cuándo llegó usted a Madrid? (hace poco)

—¿Cuándo visitó usted la empresa? (hace dos semanas)

—¿Cuándo habló usted con el director? (hace una hora)

—¿Cuándo confirmó usted la cita? (hace cuatro días)

—¿Cuándo mandó usted el telex? (hace cinco minutos)

***II Practise future with* ir a** *[GS 4]*

Example: ¿Cuándo va usted a ir a España? (la semana que viene)
Voy a ir a España la semana que viene.

—¿Cuándo va a estar el director en su despacho? (dentro de 5 minutos)

—¿Cuándo van ustedes a concretar la cita? (mañana)

—¿Cuándo va la secretaria a confirmar la fecha? (esta semana)

—¿En qué mes van a venir los visitantes? (en junio)

—A qué hora vas a llamar a Inglaterra? (a las cinco)

III Practise para with infinitive *[GS16]*

Listen to the following phrases and put them into Spanish:

Example: He rings to make an appointment.
Llama para concretar una cita.

—He writes to confirm the date.

—He's phoning to see if she's free. **(ver si está libre)**

—I'm writing to invite the client. **(invitar al cliente)**

—You send a telex to cancel the order. **(anular el pedido)**

—He drinks to forget!

Tasks

Task 1

Study the following telex:

```
22614 CILE E

EL 2 DE JUNIO 1988

ATTN: SNR RICHARDSON

REF A SU LLAMADA DE HOY.  CONFIRMAMOS LA CITA CON EL SR LAGUNA
VIERNES 13 DE JUNIO 10 HORAS. TIENE YA HOTEL RESERVADO?

SALUDOS


22614 CILE E
557792 FOXBAT G
```

Now put Mr Richardson's reply into Spanish:

> Thank you for your telex of today. I shall be arriving on Flight (*el vuelo*) IB 640 from London Heathrow. I shall be in Madrid for 5 days from the 9th. Hotel Plaza already booked. Regards.

Task 2

Telephone conversation: Phone Hotel Plaza in Madrid.

Recepcionista—Hotel Plaza. Dígame.

You —*I'd like to book a single room for June 9th.*

Recepcionista—Muy bien. ¿Para cuántas noches?

You —*I don't know exactly. Five days at least.*

Recepcionista—Bien, de acuerdo. Una habitación individual para el día 9 de junio. ¿A qué nombre?

You —*Richardson. Shall I confirm in writing or by telex?*

recepcionista—Puede confirmar por telex si lo prefiere. El número es el mismo que el teléfono.

You —*Fine. I'll confirm it straight away. Goodbye.*

Task 3

Having made an appointment to see Sra Sanchez of Vendalsa, you now find that you are unable to keep the date. Telephone her from your office in England and explain. Tell her when you will be in Madrid and make alternative arrangements.

En el aeropuerto de Barajas

Mr Richardson llega a Madrid, Barajas. Está recogiendo su maleta cuando se da cuenta que ha dejado su cartera en el avión. Se acerca a un empleado quien le indica 'Información' al lado de la entrada.

Mr Richardson—Por favor señorita . . .

Empleada —Buenos días, señor. ¿Qué desea?

Mr Richardson—He dejado la cartera en el avión, Señorita. ¿Qué debo hacer?

Empleada —¿En qué vuelo ha venido usted?

Mr Richardson—Acabo de llegar de Londres.

Empleada —Entonces, ¿me puede dar el número de vuelo y el número de asiento?

Mr Richardson—Sí, es el IB 640, asiento número 12A. Estaba recogiendo la maleta cuando me di cuenta de que había dejado la cartera debajo del asiento. Estoy muy preocupado porque la necesito urgentemente para mi trabajo — contiene todos mis papeles, mi agenda, etc.

Empleada —Sí, entiendo. ¿Me puede decir cómo es la cartera?

Mr Richardson—Sí, es de piel negra, y lleva una etiqueta de Iberia con mi nombre y mis señas.

Empleada —¿Está cerrada con llave?

Mr Richardson—Sí.

Empleada —¿Y cuál es su nombre por favor?

Mr Richardson—John Richardson.

Empleada —Bien. Si quiere esperar un momento, voy a preguntar en Objetos Perdidos y le llamaré en cuanto tenga más información.

Mr Richardson—¿Cree usted que la van a encontrar?

Empleada —Más del 90% de los objetos perdidos en nuestros aviones se recuperan en seguida. ¡Hay que tener confianza!

Mr Richardson—Muchas gracias.

(*15 minutos más tarde.*)

Empleada (alta voz) —Se ruega al señor Richardson se presente en la Oficina de Objetos Perdidos. Se ruega al señor Richardson pase por la Oficina de Objetos Perdidos a la mayor brevedad.

[* * *]

Mr Richardson—Buenos días. Soy el señor Richardson. Ustedes acaban de llamarme. ¿Han encontrado mi cartera?

Empleado —¿Es ésta?

Mr Richardson—Sí, ésta es, ¡gracias a Dios!

Empleado —¿Le importaría firmar aquí? . . . Gracias.

Antes de coger un taxi para ir a su hotel, el Sr Richardson se dirige al banco situado en el aeropuerto para cambiar dinero.

Empleado —Buenos días. Dígame.

Mr Richardson—Quiero cambiar estos cheques de viaje, por favor. ¿A cómo está el cambio?

Empleado —Vamos a ver . . . Sí, la libra está a 202 pesetas en este momento. ¿Cuánto quiere cambiar?

Mr Richardson—Cien libras.

Empleado —Me firma los cheques por favor. ¿Me deja el pasaporte . . .?

Mr Richardson—Aquí está.

Empleado —Son 200 pesetas de comisión. ¿Cómo quiere el dinero?

Mr Richardson—En billetes de cinco mil por favor.

Empleado —Tenga . . . cinco, diez, quince, viente mil.

Useful phrases and expressions

he dejado la cartera *I have left my briefcase*
acabar de . . . *to have just . . .*
me di cuenta de que . . . *I realized . . .*
debajo de *under*
me puede decir . . .? *can you tell me . . .?*
hay que + *infinitive* *it is necessary to . . .*
casi todos . . . se recuperan *almost all . . . are recovered*
se ruega al Sr + *subj.* *Mr . . . is requested to . . .*
a la mayor brevedad *as soon as possible*
le importaría + *infinitive?* *would you mind . . .?*
¿a cómo está el cambio? *what's the exchange rate?*

Conteste a las preguntas siguientes

1 ¿Dónde está el Sr Richardson?

2 ¿Qué le ha pasado?

3 ¿Dónde había puesto su cartera?

4 ¿Qué lleva en su cartera?

5 ¿Cómo es la cartera?

6 ¿Qué va a hacer la empleada?

7 ¿Por qué no debe preocuparse demasiado el Sr Richardson?

8 ¿Qué tiene que hacer para recuperar la cartera?

¿Cómo se dice en español?

1 I've left my briefcase on the plane. What should I do?

2 What flight did you arrive on?

3 I've just come from London.

4 I realised I had left my briefcase under the seat.

5 I am very worried because I need it urgently.

6 I'll call you when I have more information.

7 Do you think it will be found?

8 Thank you very much for everything.

Ahora le toca a usted.

In the following dialogue you play the part of Mr Richardson.

Mr Richardson—*Excuse me . . .*

Empleada —Buenos días, señor. ¿Qué desea?

Mr Richardson—*I've left my raincoat (***el impermeable***) on the plane. What shall I do?*

Empleada —¿En qué vuelo ha venido usted?

Mr Richardson—*I've just come from London, flight IB 640.*

Empleada —¿Me puede decir cómo es el abrigo?

Mr Richardson—*It's a brown Burberry.*

Empleada —¿Y cuál es su nombre, por favor?

Mr Richardson—*John Richardson.*

Empleada —Bien. Si tiene la bondad de esperar un momento, voy a preguntar en Objetos Perdidos.

Mr Richardson—*Do you think you'll find it?*

Empleada —La mayoría de los objetos perdidos en nuestros aviones se recuperan en seguida. ¡No se preocupe usted!

(Alta voz) —Se ruega al Sr John Richardson se presente en la Oficina de Objetos Perdidos.

Mr Richardson—*Thank you very much indeed.*

Prácticas

I *Practise the perfect tense* *[GS6]*

Listen to the following phrases and put them into Spanish:

Example: I've left my briefcase on the plane.
He dejado la cartera en el avión.

—I've arrived from London.

—She has given the flight number.

—We've closed the account.

—I've asked at the Lost Property Office.

—They have found the suitcase.

II Practise use of* acabar de = *to have just *[GS 1]*

Example: ¿Ha terminado ya?
Acabo de terminar.

—¿Ha comido ya?

—¿Ha salido el director?

—¿Han llamado ustedes al aeropuerto?

—¿Ha escrito usted?

—¿Han subido los precios?

III Practise* se + *third person singular and plural *[GS 8]*

Example: Recuperamos casi todos los objetos perdidos.
Casi todos los objetos perdidos **se recuperan**.

—Vendemos nuestros productos en España.

—Mandamos las muestras por avión.

—Hacemos los pedidos por teléfono.

—Tomamos las decisiones en seguida.

—Utilizamos los ordenadores con frecuencia.

IV Practise substituting the pronoun* lo, la, los, las *for the noun *[GS 18]*

Example: ¿Necesita usted la cartera urgentemente?
Sí, la necesito urgentemente.

—¿Tiene usted el billete?

—¿Envian ustedes la factura?

—¿Quiere usted los datos?

—¿Mete usted las cifras en el ordenador?

—¿Rellena usted el formulario?

Tasks

Task 1

You arrive in Barcelona on flight BA 987 from Manchester and find that your luggage has not appeared.

Go to the Iberia desk and explain what has happened. Give the following information:

(i) Details of your flight, your name

(ii) Report the non-arrival of your luggage

(iii) Describe the lost item

(iv) Ask when it's likely to arrive and how it will be returned to you.

(v) Give your contact address and phone number in Barcelona.

Useful phrases and expressions

una maleta *a suitcase,*
negra/marrón *black, brown,*
azul marino *navy*
una bolsa de cuero, *a bag, leather,*
de lona *canvas*
lleva una etiqueta *it has a label*

recuperar la maleta *to get the case back*
mi número de teléfono es *my phone number is*
la dirección *the address*
el equipaje *the luggage*

Task 2

You are travelling from France to Spain. On arriving at the border you wish to change your remaining francs (**francos franceses**) into pesetas.

You say —I want to change these francs into pesetas, please.

Empleado—¿Cuántos?

You say —Three hundred. What is the exchange rate?

Empleado—El franco está a veinte pesetas en este momento.

You say —I'd like to change some travellers cheques too, £20.

Empleado—Muy bien. ¿Quiere firmar y darme el pasaporte por favor?

You say —*Here you are.*

Empleado—Mire. Seis mil de los francos más cuatro mil de los cheques menos la comisión. Son nueve mil ocho cientas pesetas en total.

Task 3

You are on business in Bilbao and receive a telex from your office telling you that you have additional appointments in Madrid, Seville and Jerez. You have seen Iberia's advertisement on page 20 and decided to ring them for assistance with your itinerary, hotel bookings and car hire. Ring Reservas Nacionales and organise your trip as follows:

(i) Ask for details of flights from Bilbao to Madrid, then Madrid/Seville, Jerez/London.

(ii) Give dates of travel and reserve plane seats.

(iii) State hotel requirements (2 nights Madrid, 3 nights Seville, 1 night Jerez)

(iv) Ask if hire car can be booked and waiting for you at Seville airport – give details of car required.

(v) Check that car can be left at Jerez airport.

(vi) Ask for telex confirmation of all bookings to be received that day at your Bilbao location. Give name and telex number.

Llegada al Hotel Plaza, Madrid

Mr Richardson—Buenos días, señorita.

Recepcionista —Buenos días. ¿Qué desea usted?

Mr Richardson—He reservado una habitación por teléfono.

Recepcionista —¿Cuál es su nombre?

Mr Richardson—Richardson, de la compañía Fox's. Hice la reserva hace una semana y la confirmé por télex.

Recepcionista —Un momento que voy a comprobarla . . . Sí, aquí está. Habitación número 25.

Mr Richardson—Y tiene baño, ¿no?

Recepcionista —Bueno, es una habitación con ducha.¿Le parece bien?

Mr Richardson—Sí, muy bien.

Recepcionista —¿Cuántos días va a estar?

Mr Richardson—No estoy seguro pero por lo menos estaré hasta el fin de la semana que viene. Ya se lo diré mañana o pasado . . .

Recepcionista —De acuerdo. Su pasaporte, por favor.

Mr Richardson—Aquí está. ¿A qué hora se sirve el desayuno?

Recepcionista —A partir de las 7 hasta las 9.30.

Mr Richardson—¿Me puede llamar mañana a las siete, por favor?

Recepcionista —Sí, por supuesto. ¿Le servimos el desayuno en su habitación?

Mr Richardson—No hace falta. Bajaré al comedor.

Recepcionista —Aquí tiene la llave — la habitación está en el cuarto piso. El ascensor está a mano izquierda.

Mr Richardson—Muchas gracias. Ah, otra cosa. ¿Tiene usted por casualidad un plano de la ciudad y del metro?

Recepcionista —Sí, como no. Aquí los tiene.

Mr Richardson—(*Mirando el plano*) Mañana tengo que ir a la Castellana. ¿Me podría indicar por dónde se va?

Recepcionista —Sí, señor (*indicando*). Aquí está. No está muy lejos, a diez minutos en taxi. Hay una parada de taxis en la Gran Vía muy cerca de aquí.

Mr Richardson—Muchas gracias.

(*Al día siguiente Mr Richardson coge un taxi para acercarse a las oficinas de Vendalsa.*)

Taxista —¿Adónde va usted?

Mr Richardson—A la Castellana.

Taxista —¿Cuál es la dirección exacta? ¡Es que la Castellana es larguísima!

Mr Richardson—Ah sí, perdón. Quiero ir a la Calle de Agustín de Foxá pero si me deja en la Plaza de Castilla, haré el resto del camino andando.

Taxista —Muy bien. Como quiera usted.

Mr Richardson—¿Tardaremos mucho en llegar?

Taxista —Pues, con el tráfico que hay, ¡me parece que sí! Es que a las nueve de la mañana cruzar Madrid es una pesadilla y la Castellana siempre está atascada.

Mr Richardson—Tengo que estar allí para las diez.

Taxista —¡Entonces tranquilo hombre! Tenemos tiempo de sobra.

(*Llegan a la Plaza de Castilla.*)

Taxista —Aquí estamos. ¿Dónde quiere que le deje?

Mr Richardson—Aquí mismo. Agustín de Foxá es aquella calle a mano derecha ¿no?

Taxista —Sí, es esa.

Mr Richardson—¿Qué le debo?

Taxista —Son quinientas sesenta. Gracias y adiós.

Useful phrases and expressions

Hace una semana *A week ago*
¿Le parece bien? *Is that all right with you?*
no hace falta *it's not necessary*
Se lo diré *I'll tell you (it)*
¿A qué hora se sirve el desayuno? *What time is breakfast served?*
me podría indicar . . .? *Could you show me . . .?*
tengo que ir *I have to go*
¿tardaremos mucho en llegar? *Will it take us long to get there?*
tenemos tiempo de sobra *we have plenty of time*
¿qué le debo? *What do I owe you?*

Conteste a las preguntas siguientes

1 ¿Dónde está el Sr Richardson ahora?

2 ¿Cuándo hizo la reserva?

3 ¿Qué comprueba la recepcionista?

4 ¿Hasta cuándo va a estar el Sr Richardson en el hotel?

5 ¿Dónde tomará el desayuno?

6 ¿En qué piso está la habitación?

7 ¿Por qué quiere un plano de la ciudad?

8 ¿A qué distancia está la Castellana del hotel?

¿Cómo se dice en español?

1 I've booked a room.

2 In what name?

3 I confirmed it by telex.

4 I'm going to be here at least until the weekend.

5 When is breakfast served?

6 From 7 until 9.30.

7 Could you give me a call in the morning?

8 Will it take us long to get there?

9 We have plenty of time.

10 What do I owe you?

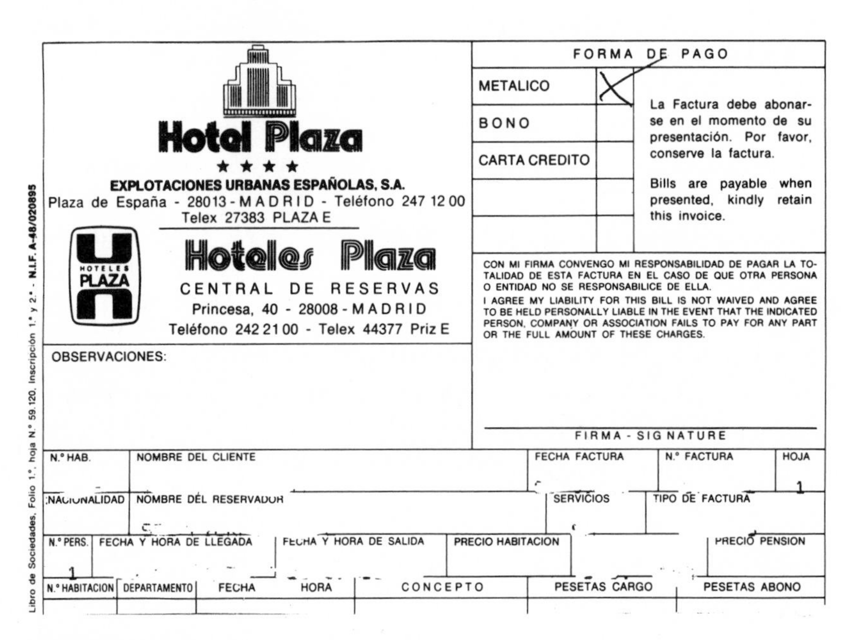

Hotel Plaza
★ ★ ★ ★
EXPLOTACIONES URBANAS ESPAÑOLAS, S.A.
Plaza de España - 28013 - MADRID - Teléfono 247 12 00
Telex 27383 PLAZA E

HOTELES PLAZA
Hoteles Plaza
CENTRAL DE RESERVAS
Princesa, 40 - 28008 - MADRID
Teléfono 242 21 00 - Telex 44377 Priz E

FORMA DE PAGO

METALICO	X
BONO	
CARTA CREDITO	

La Factura debe abonarse en el momento de su presentación. Por favor, conserve la factura.

Bills are payable when presented, kindly retain this invoice.

CON MI FIRMA CONVENGO MI RESPONSABILIDAD DE PAGAR LA TOTALIDAD DE ESTA FACTURA EN EL CASO DE QUE OTRA PERSONA O ENTIDAD NO SE RESPONSABILICE DE ELLA.
I AGREE MY LIABILITY FOR THIS BILL IS NOT WAIVED AND AGREE TO BE HELD PERSONALLY LIABLE IN THE EVENT THAT THE INDICATED PERSON, COMPANY OR ASSOCIATION FAILS TO PAY FOR ANY PART OR THE FULL AMOUNT OF THESE CHARGES.

OBSERVACIONES:

FIRMA - SIGNATURE

N.º HAB.	NOMBRE DEL CLIENTE	FECHA FACTURA	N.º FACTURA	HOJA
				1

NACIONALIDAD	NOMBRE DEL RESERVADOR	SERVICIOS	TIPO DE FACTURA

N.º PERS.	FECHA Y HORA DE LLEGADA	FECHA Y HORA DE SALIDA	PRECIO HABITACION	PRECIO PENSION
1				

N.º HABITACION	DEPARTAMENTO	FECHA	HORA	CONCEPTO	PESETAS CARGO	PESETAS ABONO

Libro de Sociedades, Folio 1.º, hoja N.º 59.120, Inscripción 1.ª y 2.ª - N.I.F. A-48/020895

Ahora le toca a usted

In the following dialogue you play the part of Mr Richardson.

Mr Richardson—*Good afternoon.*

Recepcionista —Buenas tardes, Señor. ¿Qué desea?

Mr Richardson—*I have a room booked — my name is Richardson.*

Recepcionista —Ah sí. Aquí está, habitación número 25.

Mr Richardson—*It has a bathroom, hasn't it?*

Recepcionista —No, pero tiene ducha, ¿le parece bien?

Mr Richardson—*Yes, that's fine.*

Recepcionista —¿Cuántos días va a estar?

Mr Richardson—*I'm not sure, but at least until Friday.*

Recepcionista —Muy bien. Su pasaporte, por favor.

Mr Richardson—*Here it is. What time is breakfast served?*

Recepcionista —Desde las 7 hasta las 9.30. Aquí tiene su llave. La habitación está en el cuarto piso.

Mr Richardson—*Thank you very much. Oh, do you have a map of Madrid?*

Recepcionista —Si, como no.

Mr Richardson—*Tomorrow, I have to go to the Puerta del Sol. Could you tell me how to get there?*

Recepcionista —(*indicando en el plano*) Aquí está. No está muy lejos — a unos diez minutos en autobús. Hay una parada justo enfrente del Hotel.

Mr Richardson—*Fine. Thank you very much.*

Prácticas

I Practise 1st person of future tense with se, lo *[GS 18]*

Example: ¿Le dirá usted al Sr Richardson que está lista su habitación?
Se lo diré.

—¿Le dirá Usted al Director que ha llegado el visitante?

—¿Le explicarás a la secretaria que no puedo venir?

—¿Le indicarás donde está el banco?

—¿Le confirmará usted al cliente que hemos recibido la factura?

—¿Preguntará usted a su jefe si está libre?

II Practise se *with third person present tense and* desde/hasta *[GS 8]*

Example: ¿Cuándo se sirve el desayuno? (from 7 a.m. to 9.30 a.m)
El desayuno se sirve desde las 7 hasta las 9.30 de la mañana.

—¿Cuándo se sirve la cena? (*from 8.30 to 11.30 p.m.*)

—¿Cuándo se abre el banco? (*from 9.30 to 4.00 p.m.*)

—¿Cuándo se venden las entradas? (*from 9 to 1 p.m.*)

—¿Cuándo se puede aparcar? (*from 10 to 3 pm.*)

—¿Cuándo se trabaja en la oficina? (*from 8 a.m. to 2 p.m.*)

III Practise **tengo que** *+ infinitive*

Example: Dónde vas? (a Madrid)
Tengo que ir a Madrid.

—¿Dónde va usted? (a la reunión)

—¿Qué prepara usted? (la cuenta)

—¿Qué escribe usted? (la carta)

—¿Qué estudia usted? (el plan de marketing)

—¿Qué encarga usted? (el estudio)

IV Practise irregular futures *[GS 4]*

Put the following phrases into Spanish:

—We shall make the reservation.

—They will have a map of Madrid.

—You will be able to confirm it.

—There will be a meeting in Madrid.

—I shall want a taxi in ten minutes.

—He will go to Barcelona tomorrow.

V Practise conditional of **poder** **:** *could you . . . me . . .* *[GS 5]*

Example: ¿Me podría indicar por dónde se va a . . . ?

Put the following phrases into Spanish:

—Could you explain to me the reasons for the delay (**el retraso**)?

—Could you show me the sales forecasts (**las previsiones**)?

—Could you give me a map of the city centre?

—Could you tell me what time the bank opens?

—Could you send me a price list?

—Could you check (**comprobar**) the flight times to London?

Tasks

Task 1

You arrive in Barcelona without a hotel reservation. The taxi-driver drops you in the Ramblas and the nearest hotel is the San Agustín. Go in and :

(i) Ask about availability of rooms

(ii) State your requirements (single, shower, etc.)

(iii) Indicate length of stay

(iv) Enquire about meals

(v) Ask the price, method of payment (cash, travellers cheques, credit card)

Useful phrases:

una habitación doble/individual *a double/single room*
voy a estar para . . . *I'm going to be here for . . .*
¿a partir de qué hora se sirve . . .? *from what time do you serve . . .?*
¿se puede pagar con . . .? *Is it possible to pay by . . .?*
una tarjeta de crédito *credit card*
cheques de viaje *travellers cheques*
Eurocheque *Eurocheque*

Task 2

You are in Spain and find you have to return home earlier than planned. You are booked on flight IB 620 from Seville to London on 10 September and now wish to return on September 8. Go to the nearest Iberia office and ask them to rebook you. Use the following key words to help you.

Iberia—Buenos días. ¿Qué desea?

You —Problema — cambiar vuelo.

Iberia—¿Puede darme los detalles de su reserva?

You —Reserva — 10 septiembre IB620 — Sevilla — Londres.

Iberia—¿Y cuándo quisiera usted volver?

You —¿A qué hora — vuelos — día 8?

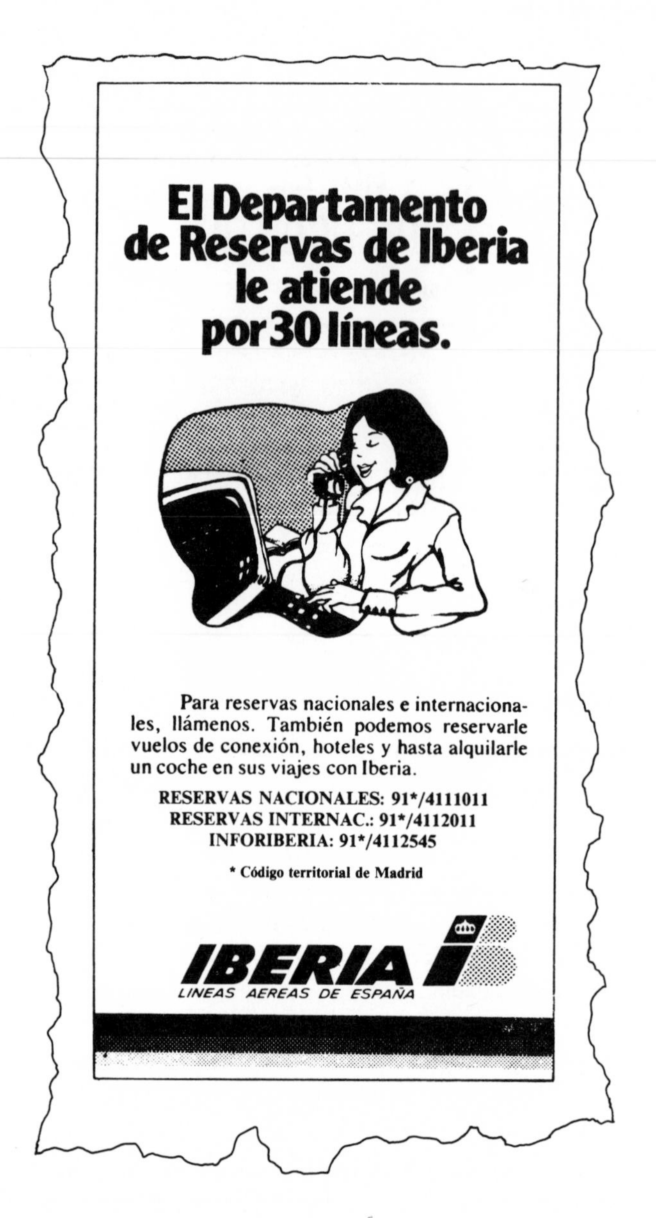

Iberia—Hay 2 vuelos diarios; uno por la mañana, otro por la tarde.

You —Preferir — mañana.

Iberia—Muy bien. ¿Me da su billete por favor?

Task 3

You are in San Sebastián and wish to buy some local delicacies prior to your departure. You ask directions at your hotel and then make your way to the shop.

You —Excuse me, is there a good food shop or supermarket around here?

Recepcionista—Sí, hay una tienda de ultramarinos muy cerca de aquí. Salga del hotel y vaya a la izquierda. Siga todo recto hasta el semáforo, doble a la derecha y tiene usted la tienda enfrente.

You —So, I turn left, go as far as the traffic lights, turn right and shop is on the other side of the road.

In the shop:

Dependiente —Buenos días, ¿qué deseaba usted?

You —*I would like to buy two bottles of wine — a good red Rioja and a good Catalan white. Can you recommend something?*

Dependiente —Sí. Como vino tinto de la Rioja le recomiendo éste que se llama Berberana del año ochenta y dos. Para mí es el mejor y está muy bien de precio.

You —*Fine, and the white?*

Dependiente —¿Por qué no prueba usted una botella de Cava? O sea el champán español. La marca Freixenet es muy buena.

You —*Yes, but how much is it?*

Dependiente —Esta, por ejemplo, cuesta 600 pesetas.

You —*That's very cheap!*

Dependiente —¡Y además, es tan bueno como el francés, incluso mejor!

You —*Give me two bottles then. How much is that altogether?*

Dependiente —Mil trescientas pesetas.

Task 4: Telex

Put the following telex into Spanish:

```
89-01-19  16:11
Msg 221 Title :

FAO : RESERVATIONS

REF. HOTEL RESERVATION IN NAME OF ROBERTS. PLEASE CANCEL BOOKING FOR
SINGLE ROOM FOR JUNE 7 AND CHANGE TO DOUBLE FOR 3 NIGHTS FROM JUNE
10. ALSO BOOK CONFERENCE ROOM (SALA DE CONFERENCIAS) AND LUNCH FOR 20
PEOPLE FOR JUNE 8. KINDLY CONFIRM AS SOON AS POSSIBLE.

MANY THANKS
```

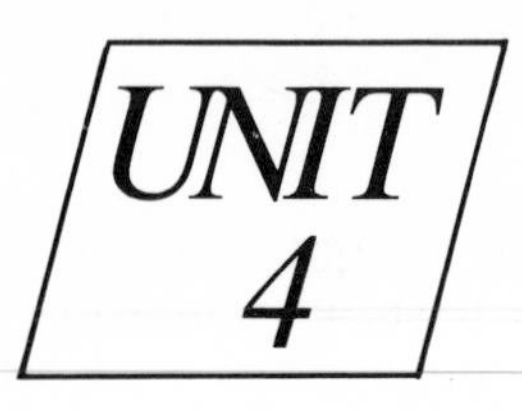

En la oficina de Vendalsa

Mr Richardson llega a la oficina de Vendalsa y inicia sus conversaciones con el director, Pedro Laguna.

Mr Richardson—Buenas días, señorita.

Recepcionista —Buenos días, señor. ¿Qué deseaba?

Mr Richardson—Soy el señor Richardson de la compañía Fox's de Inglaterra. Estoy citado con el señor Laguna para las 10.

Recepcionista —Ah sí, de la compañía Fox's. El señor Laguna le está esperando en su despacho. Espere un momento que voy a avisarle. (*Llama a la secretaria)* Carmen, díle al señor Laguna que ha llegado el señor Richardson de Inglaterra.

Mr Richardson—¡Qué calor hace! ¿Verdad? ¿Es normal, en junio?

Recepcionista —Sí. Hoy hace 30 grados y ¡dicen que va a subir! (*Suena el teléfono*) El señor Laguna está esperándole. ¿Quiere pasar por aquí . . . El señor Richardson.

Sr Laguna —Ah, señor Richardson. Encantado de conocerle.

Mr Richardson—Encantado.

Sr Laguna —¿Qué tal el viaje?

Mr Richardson—Muy bien — aparte de un pequeño problema con el equipaje — que se solucionó en seguida. Lo demás, estupendamente.

Sr Laguna —Menos mal. ¿Es su primera visita a Madrid?

Mr Richardson—No, estuve una vez hace unos años pero no la conozco muy bien. Conozco mejor Barcelona adonde voy con frecuencia en viajes de negocios.

Sr Laguna —¡Ah! Entonces le tendremos que enseñar un poco la ciudad. ¿Qué le parece?

Mr Richardson—Me gustaría mucho, pero no sé si será posible esta vez porque voy a estar muy poco tiempo y el horario que tengo es muy apretado.

Sr Laguna —¡Qué pena! Hay tantas cosas que ver y en esta época del año la ciudad está preciosa.

Mr Richardson—Ya lo sé y si todo va bien durante esta visita, espero venir con más frecuencia pero, claro, eso depende de lo que usted opina de mis sugerencias.

Sr Laguna —Ya veremos. Tengo que reconocer que me extrañé un poco al recibir su carta porque he tenido un contacto más bien limitado con el BOTB. Aunque llevo la representación de ciertas empresas británicas no la conseguí por medio de ellos. ¡Vaya fama!

Mr Richardson—Pues están muy enterados de sus éxitos y precisamente por eso nos han dado su nombre como agente eventual.

Más tarde el señor Richardson alquila un coche

Mr Richardson—Buenas tardes. Quiero alquilar un coche.

Empleado —Muy bien. ¿Qué marca quería y por cuánto tiempo?

Mr Richardson—Bueno, quería un coche pequeño. ¿La marca? Francamente no sé. ¿Qué me recomienda?

Empleado —En coches pequeños solemos disponer de tres marcas: el Seat Panda, el Ford Fiesta y el Seat Ibiza, pero de momento sólo nos quedan el Panda y el Fiesta.

Mr Richardson—De acuerdo. Como ya lo conozco, prefiero el Fiesta. Es un poco más cómodo, ¿no?

Empleado —Sí, pero es un poco más caro.

Mr Richardson—No importa. ¿Cuánto es?

Empleado —¿Para cuántos días lo quiere?

Mr Richardson—Para tres días.

Empleado —Entonces le saldrá más barato el kilometraje ilimitado.

Mr Richardson—¿Quiere usted mi permiso de conducir y pasaporte?

Empleado —Basta con el permiso.

Mr Richardson—¿Me podría explicar los seguros?

Empleado —Sí. Mire. Viene explicado en el folleto. Las tarifas incluyen responsabilidad civil y fianzas ilimitadas, daños a la propiedad, daños a terceros, así como incendio y robo del vehículo. El arrendatario queda exento de toda responsabilidad en caso de daños a los vehículos.

Mr Richardson—Comprendo. ¿Puedo pagar con tarjeta de crédito?

Empleado —Si con Visa o American Express.

Mr Richardson—¿Y tengo que entregar el coche aquí o se puede hacer en cualquier oficina de la compañía?

Empleado —Sí, en cualquiera pero entre las 9.00 y 20.00 horas los días laborables. Aquí están las llaves. Adíos y buen viaje.

Useful phrases and expressions

¿Quiere pasar por aquí? *Come this way, please*
Encantado de conocerle / Mucho gusto de conocerle } *Pleased to meet you*
¿Qué tal? *How are you, how are things?*
¿Qué tal el viaje? etc. *How was your journey?*
el problema . . . se solucionó *the problem was solved*

Menos mal *So much the better*
¡Qué pena! / ¡Qué lástima! } *What a pity!*
de momento, solo me quedan . . . *at present, I only have . . . left*
le saldrá más barato *It'll work out cheaper*
basta con el permiso *you only need your driving licence*
¿se puede hacer . . .? *can it be done?*
los días laborables *weekdays*

Conteste a las preguntas siguientes:

1 ¿A qué hora tiene cita el señor Richardson?

2 ¿Qué tiempo hace en Madrid?

3 ¿Por qué llama la recepcionista a la secretaria?

4 ¿Por qué conoce mejor Barcelona que Madrid?

5 ¿Qué sugiere el señor Laguna?

6 ¿Por qué no es posible?

¿Cómo se dice en español?

1 I have an appointment with señor Laguna at 10 o'clock.

2 I'll tell señor Laguna you're here.

3 Would you come this way, please?

4 Pleased to meet you.

5 The problem was solved straight away.

6 I was here a few years ago but I don't know it very well.

7 We'll have to show you something of the city.

8 They are well aware of your successes.

9 They have given us your name as a potential agent.

Ahora le toca a usted

In the following dialogue, you play the part of Mr Richardson.

Mr Richardson—*Good morning, señorita.*

Recepcionista —Buenos días, señor. ¿Qué deseaba?

Mr Richardson—*My name is Richardson, from Fox's, England. I have an appointment with Señor Laguna at 10.30.*

Recepcionista —Un momento, por favor . . . ¿Quiere pasar por aquí?

Sr Laguna —Encantado de conocerle.

Mr Richardson—*Pleased to meet you.*

Sr Laguna —¿Qué tal el viaje?

Mr Richardson—*Fine, thank you.*

Sr Laguna —¿Es su primera visita a Madrid?

Mr Richardson—*No, I've been once before, but I don't know it very well. I know Barcelona better. I often go there on business.*

Sr Laguna —Tenemos que enseñarle un poco la ciudad, ¿no?

Mr Richardson—*I'd love to get to know the city a little better, but I'm not going to be here very long.*

Sr Laguna —¡Qué pena!

Prácticas

I Practise estar citado con alguién para . . . + *time*

Example: ¿Tiene usted cita?
Sí, **estoy citado** con el Director de Personal **para la una**.

—¿Tienen ustedes cita? (Sí, Director de Ventas; las 3)

—¿Tiene la secretaria cita? (Sí, Jefe; las 9.30)

—¿Tienen los visitantes cita? (Sí, en la fábrica; las 10)

—Tiene usted cita? (Sí, el contable; la 1.15)

—Tienen los empleados cita? (No)

II Practise ¿Quiere usted . . .?

Example: Pase por aquí, por favor.
¿Quiere usted pasar por aquí?

—Venga en seguida.

—Siéntese aquí.

—Déme los papeles.

—Termínelo cuanto antes.

—Dígale que ha llegado.

III Practise conocer *with* mejor que

Example: ¿Conoce usted Madrid? (Barcelona)
Conozco Madrid mejor que Barcelona.

—¿Conoce usted el País Vasco? (Cataluña)

—¿Conocen ustedes al Director de Ventas? (Director de Marketing)

—¿Conocéis Asturias? (Galicia)

—¿Conoces a Roberto? (María)

—¿Conoce el turista el Barrio Gótico? (el Barrio Chino)

***IV Practise* saber *with* si, cuándo, dónde, cómo, cuánto, a qué hora**

Example: ¿Sabe usted si ha llegado mi compañero?
No sé si ha llegado.

—¿Sabe usted si ha terminado la reunión?

—¿Sabes cuándo vendrá el inglés?

—¿Sabéis cómo funciona el ordenador?

—¿Saben ustedes a qué hora sale el avión?

—¿Sabe la secretaria dónde está su jefe?

—¿Sabes cuánto es?

V Practise use of* se *with third person of preterite *[GS 8]*

Example: The problem was solved immediately.
El problema se solucionó en seguida.

Put into Spanish:

—The matter was forgotten immediately. (**el asunto/olvidar**)

—The price was fixed at the beginning of the year. (**precio/fijar**)

—The machines were bought in Germany. (**máquinas/comprar**)

—The prices were quoted in dollars. (**precios/cotizar**)

—The contract was signed in Madrid. (**contrato/firmar**)

Tasks

Task 1

During a business trip to Valencia you see an advertisement for a villa in Gandia for rent during the month of August. Phone the number given and ask about:

(i) price

(ii) number of bedrooms and bathrooms

(iii) proximity to the beach

(iv) shops available locally

(v) cleaning of villa

(vi) express your interest and arrange a visit.

GANDIA

DISFRUTE DE LA PLAYA EN JULIO, AGOSTO O SEPTIEMBRE
ALQ. DE VILLAS EN GANDIA
DESDE 25.000 PTAS AL MES
INFORMACION – Sr. Retana Tel 96/69–01–22

Task 2 (See Commercial Letters)

Following the above conversation, write a short letter to the owner confirming you wish to book the villa for the whole month of August. Enclose a deposit of £25 and agree to pay the remainder on arrival.

Useful phrases

le escribo para . . . *I am writing to . . .*
adjuntar *to enclose*
el depósito *deposit*
el saldo *balance, remainder*

Task 3

Whilst on holiday in Majorca you see an offer for car hire. You are interested and make enquiries. Ask what cars are available; choose a small one; ask about the price of unlimited mileage for a week. Check that insurance cover is sufficient and where and when you can return the car. Ask also if you can pay with a credit card.

BALEARES

– MALLORCA
– IBIZA

Kilometraje ilimitado
Unlimited Mileage

		Puertas, Plazas Doors, Seats	Radio	Automático Automatic	Aire Acondicionado Air Conditioned	Dirección Asistida Power Steering	Por Día Per Day	Por Semana Per Week	(1) (2) (3) Día Comercial Commercial Day
A	FORD FIESTA OPEL CORSA LS RENAULT SUPER 5	3/4 3/4 3/4					4.150	24.900	3.320
B	SEAT IBIZA 1.2 PEUGEOT 205 GL	3/4 5/4	◆ ◆				5.460	32.760	4.370
C	FORD ESCORT 1.3	5/5	◆				6.550	39.300	5.240
D	FORD ORION GL 1.4 SEAT MALAGA GL 1.5 PEUGEOT 309 GL PROFIL	4/5 4/5 5/5	◆ ◆ ◆				7.640	45.840	6.110
E	FORD ORION GHIA i	4/5	◆	◆		◆	9.180	55.080	7.340
F	CITROEN BX 16 TRS RENAULT 21 GTS	5/5 5/5	◆ ◆		◆ ◆	 ◆	10.480	62.880	8.380
H	RENAULT 21 GTS S/W	5/5	◆			◆	11.700	70.200	9.360
I	FORD SIERRA 2.0 GHIA*	5/5	◆		◆	◆	12.180	73.080	9.740
J	FORD SIERRA 2.0*	5/5	◆	◆	◆	◆	15.500	93.000	12.400
P	SUZUKI JEEP SJ 410*	2/4	◆				7.640	45.840	6.110

INFORMACION GENERAL

PERIODO MINIMO ALQUILER: 1 DIA (24 HORAS).
Hora extra: 1/3 del precio por día.
LA TARIFA INCLUYE: Seguro base, mapas de ciudad y carreteras,, mantenimiento, engrase y aceite. El servicio "Alquílelo aquí-Déjelo allí" está disponible entre las Islas Baleares y la Península o viceversa, con un cargo adicional de 50.000 pesetas. Estas tarifas están cotizadas en pesetas, anulan a las anteriores y están sujetas a cambios sin previo aviso.
SEGUROS: Las tarifas incluyen responsabilidad civil y fianzas ilimitadas, daños a la propiedad (privada), daños a terceros, así como incendio y robo del vehículo.
La responsabilidad del arrendatario por daños a los vehículos puede eximirse mediante el pago de un cargo adicional, según el grupo al que pertenezcan.

GRUPO	RESPON-SABILIDAD	POR DIA	GRUPO	RESPON-SABILIDAD	POR DIA
O, A y N	120.000	600	F, G y H	180.000	950
B	130.000	625	I	190.000	1.025
C	140.000	700	J, P y R	200.000	1.125
D	160.000	775	K	220.000	1.325
E	170.000	875	L, Q y Z	230.000	1.425

ACEITE Y ENGRASE: Todos los gastos serán reembolsados contra recibos presentados al término del alquiler.
GASOLINA: A cargo del cliente.
IMPUESTOS: El 12% IVA no está incluido en las tarifas. Este impuesto será abonado por el cliente y se computará sobre el total de los gastos del alquiler (**4%** en Canarias).
MULTAS DE TRAFICO: Todas las infracciones serán pagadas por el cliente.
EDAD MINIMA DEL CONDUCTOR: 19 años.
ENTREGA Y RECOGIDA DE COCHES: Fuera de los límites de la ciudad donde exista una oficina tendrá un cargo adicional de 50 Pts./km. (mínimo 5.000 pesetas). Dentro de los límites de la ciudad serán sin cargo. El horario de recogida y entrega dentro de los límites de la ciudad es de 9 a 19 horas de lunes a viernes y de 9 a 13 horas los sábados. Fuera de dichos horarios tendrán un suplemento de 1.500 pesetas.

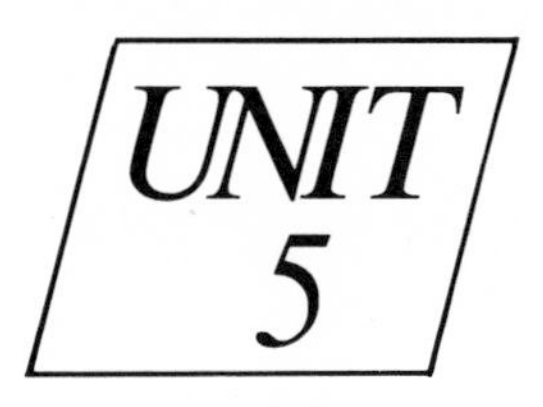

Reunión con el señor Laguna

El Señor Richardson sigue explicando a Pedro Laguna la razón de su visita a España.

Sr Laguna —Este BOTB es como nuestro Instituto para el Fomento de la Exportación, ¿no? O sea, dan apoyo y consejos a las empresas que quieren exportar.

Mr Richardson—Sí, Eso es. Exactamente como le decía. Nos han dicho que su empresa ya representa a varias compañías británicas del sector alimenticio.

Sr Laguna —Sí, colaboramos con empresas inglesas desde hace varios años, y claro, he oído hablar de Fox's, pero la verdad es que sé muy poco de la compañía.

Mr Richardson—Pues bien. La empresa fue fundada hace más de un siglo y nuestra especialidad está en la producción de galletas de alta calidad, principalmente debido a que sólo utilizamos los mejores ingredientes. Mire, aquí le he traido unas muestras de los productos que más se están vendiendo actualmente en Gran Bretaña. (*Saca varios paquetes de galletas de su maleta*) Como puede imaginarse la gama es mucho más amplia, pero éstas servirán para darle una idea del envase, los ingredientes y, por supuesto, el sabor . . .

Sr Laguna —Mmmm . . . son verdaderamente exquisitas. Ahora veo por que dicen que ustedes los británicos entienden de dulces . . . ¿Y usted piensa que habría posibilidades en el mercado español, eh? Mmm, puede ser que tenga razón . . . (*come otra galleta*)

Mr Richardson—Nosotros creemos que sí. Hemos tenido mucho éxito en el mercado nacional, abarcando una parte sustancial del mercado del orden del 20%. Así pues, decidimos exportar a otros países de habla inglesa, lo cual nos ha salido muy bien.

Sr Laguna —¿Y ahora ustedes piensan que es oportuno probar el mercado español?

Mr Richardson—Sí, en los años '70, con la adhesión de Gran Bretaña a la CE, empezamos a exportar a Europa y ahora creemos que pueden existir buenas posibilidades en el mercado español. Y claro, el Acta Unica de 1992 y las posibilidades que nos plantea va a impactar mucho en nuestra estrategia futura.

Sr Laguna —¿Qué le hace pensar así?

Mr Richardson—Hace un año encargamos un estudio en profundidad del mercado español que resultó francamente positivo para nuestos intereses y que además nos indicó la existencia de un mercado potencial importante . . . En fin, eso es lo que pensamos y por eso estoy aquí. ¿Qué le parece?

Sr Laguna —Pues, la verdad es que en principio parece muy interesante pero tendríamos que estudiar más a fondo el informe. ¿Por qué no vamos a comer? Bueno, ¡si esas galletas no me han quitado demasiado el apetito!

Useful phrases and expressions

He oído hablar de *I have heard of*
nos ha salido bien *It's turned out well for us*
la razón de su visita *the reasons for his visit*
la razón por la que ha venido *the reason he has come*
le verdad es que *the truth is that*
puede ser que tenga razón *you may be right*
del orden del 20% *around 20%*
los países de habla inglesa *English-speaking countries*

Conteste a las preguntas siguientes

1 ¿Quién le dio a Mr Richardson el nombre del Sr Laguna?

2 ¿Qué es el BOTB?

3 ¿Qué hace ya la empresa del Sr Laguna?

4 ¿Cuándo fue fundada la empresa Fox's?

5 ¿Qué reputación tiene? ¿Por qué?

6 ¿Por qué busca Mr Richardson nuevas oportunidades para Fox's?

7 ¿Qué le hace pensar que es oportuno probar el mercado español?

8 ¿Cómo se termina la reunión?

¿Cómo se dice en español?

1 The BOTB has given me your name.

2 You represent British companies in the food sector.

3 We have been working with British companies for five years.

4 I've heard of Fox's.

5 The company was founded ten years ago.

6 We produce high quality goods.

7 You think there may be possibilities in the Spanish market.

8 We have a market share of 20%.

9 Our exports to English-speaking countries have turned out well.

10 The Single Act in 1992 will have a considerable effect on our future strategy.

11 We commissioned a study of the market which was very positive.

12 We must examine the report in more depth.

Ahora le toca a usted.

In the following dialogue you play the part of Mr Richardson.

Sr Laguna —Entonces, este BOTB es como nuestro Instituto para el Fomento de la Exportación ¿no?

Mr Richardson—*Exactly. They told us that your company represents the interests of several British companies in the food sector. Is that the case?*

Sr Laguna —Sí, llevamos varios años colaborando con compañías británicas. He oído hablar de Fox's pero sé muy poco de la empresa.

Mr Richardson—*It was founded more than a century ago and is famous for producing high quality biscuits.*

Sr Laguna —¿Piensa usted que habría posibilidades de éxito en el mercado español?

Mr Richardson—*Yes. As we were very successful in our home market, we decided to export to other English-speaking markets and things have gone well.*

Sr Laguna —¿Y ahora ustedes piensan que es oportuno probar en el mercado nacional?

Mr Richardson—*Yes, we believe that there could be possibilities in Spain.*

Sr Laguna —¿Qué le hace pensar así?

Mr Richardson—*Last year we commissioned a study of the Spanish market which was very encouraging.*

Sr Laguna —Pues, me interesa mucho lo que dice pero tendríamos que estudiar más a fondo el informe. ¿Por qué no vamos a comer y así podemos hablar más del asunto?

Prácticas

I Practise changing perfect tense to pluperfect tense *[GS 6]*

Example: El BOTB me ha dado su nombre.
Ya le expliqué que el BOTB me había dado su nombre.

—El director ha firmado el documento.

—El contable ha solucionado el problema.

—El distribuidor ha recibido las mercancías.

—El representante ha cometido un error.

—El jefe de personal ha negociado con los sindicatos.

II Practise use of **desde hace** *+ time* *[GS 1]*

Example: ¿Hace cuánto tiempo que colaboráis con compañías inglesas? (varios años)
Colaboramos con compañías inglesas desde hace varios años.

—¿Hace cuánto tiempo que trabajan ustedes en el sector alimenticio? (cinco años)

—¿Hace cuánto tiempo que compráis las materias primas? (3 años)

—¿Hace cuánto tiempo que trata la compañía con el Banco de Bilbao? (seis meses)

—¿Hace cuánto tiempo que realizan los competidores una campaña de publicidad? (15 días)

—¿Hace cuánto tiempo que lleva usted la representación de Fox's? (muy poco tiempo)

III Practise changing passive to active with **se** *[GS 8]*

Example: La compañía fue fundada hace más de un siglo.
La compañía se fundó hace más de un siglo.

—La sucursal fue creada en 1987.

—El contrato fue redactado la semana pasada.

—Los detalles fueron concretados esta mañana.

—La fábrica fue construida recientemente.

—Los papeles fueron firmados el primero de junio.

IV Practise use of **quizás** *+ present subjunctive* *[GS 14]*

Example: ¿Hay salidas en el mercado español?
Quizás haya salidas en el mercado español.

—¿Hay un mercado para nuestros productos?

—¿Existe una demanda por estas galletas?

—¿Exigen muchas garantías?

—¿Supone una inversión muy importante?

—¿Tienen éxito las promociones?

—¿Sale bien el proyecto?

V Practise use of **lo que** *with* **no sé** *[GS 17]*

Example: ¿Qué piensa el vice-presidente?
No sé lo que piensa.

—¿Qué opina el abogado?

—¿Qué pretende la competencia?

—¿Qué dicen los ministros?

—¿Qué hacen los delegados sindicales?

—¿Qué ofrece el Consejo de Administración?

—¿Qué quieren votar los accionistas?

VI Practise — **salir bien** *with indirect object pronouns* *[GS 18]*

Example: ¿Cómo ha salido el asunto? (me)
Me ha salido bien.

—¿Cómo han salido los examenes (me)

—¿Cómo han salido las negociaciones? (les)

—¿Cómo ha salido el programa? (nos)

—¿Cómo ha salido el plan estratégico? (le)

—¿Cómo ha salido el estudio de mercado? (les)

Tasks

Task 1

Interpreting exercise:

Study the following text to prepare the interpreting exercise:

El sector público y el formento de la exportación

En casi todos los paises del mundo, el sector público realiza una política activa de fomento y estímulo de la actividad exportadora de las empresas.

La existencia de unos institutos centrales suele incidir mucho en los aspectos de información, de estudios, de promoción. . . ., mientras que las gestiones de los estímulos concretos, que pueded ser de carácter fiscal, crediticio. . ., corresponde más bien a los departamentos ministeriales o bancarios correspondientes.

Instituto Nacional de Fomento de la Exportación (INFE)

En España, y como ya se ha visito, se creó en 1982 lo que podria denominarse como el *ente central de la politica española de fomento de la exportación: el INFE*, como Organismo Público que depende directamente de la Secretaria de Estado de Comercio.

El INFE, con su sede central en Madrid y 15 delegaciones territoriales por toda España, asumió el objetivo genérico de la *promoción de las exportaciones españolas.*

Las actividades del INFE cubren los siguientes campos:

- Información al exportador.
- Información sobre mercados exteriores.

- Asesoramiento técnico al exportador sobre:
  - Transportes internacionales.
  - Envase y embalaje.
  - Contratos internacionales y arbitraje comercial
  - Reglamentación comercial
  - Homologación y normalización.
  - Financiación.
- Formación.
- Técnicas de apoyo y promoción:
  - Ferias en el exterior.
  - Pabellón INFE en ferias interiores.
  - Misiones comerciales directas e inversas.
  - Viajes de propsección.
  - Apoyo a la exportación de proyectos industriales.
- Planes sectoriales de promoción.
- Programas de apoyo a empresas individuales:
  - Programas de consorcios de exportación.

- Programas de apertura de mercados y promoción de ventas
- Programa de establecimiento de empresas españolas en países de la OCDE.

—*Could you explain the role of the Instituto Nacional de Fomento de la Exportación? (INFE)*

—El INFE se creó en 1982 como el ente central de la política española de fomento de la exportación, o sea la promoción de las exportaciónes españoles.

—*Where is it based?*

—INFE tiene su sede central en Madrid con 15 delegaciones territoriales por toda España.

—*What areas are covered by their activities?*

—Sus actividades incluyen campos como información al exportador sobre mercados exteriores y asesoramiento técnico.

—*Does the technical advice include such areas as transport and packaging?*

—Claro. Y también toda la reglamentación tanto comercial como financiera.

—*How does INFE help as far as Trade Fairs are concerned? Do they support firms who wish to participate in them?*

—Sí, el INFE se encarga de todo lo referente a las Ferías en el exterior, las misiones comerciales y los viajes de prospección.

—*How can INFE help the individual firm?*

—Fomentan los consorcios de exportación y el establecimiento de empresas españolas en la CE.

Task 2

Study the following telex and translate it into Spanish.

557792 FOXBAT G
NO: 5014 03/12/87
CILE/INTERFOOD - MADRID

ATTN: MR RICHARDSON

RE: SAMPLES SENT

THESE HAVE ARRIVED AND HAVE BEEN STUDIED BY OUR MARKETING DEPARTMENT.

THE RESULT HAS BEEN VALUED AS VERY POSITIVE AND WE FORESEE A COMMERCIAL RELATIONSHIP BETWEEN OUR TWO COMPANIES.

THE PRICE SEEMS AT THIS STAGE TO BE COMPETITIVE AND WE ARE NOW COMPARING WITH OTHER PRODUCTS OF SIMILAR QUALITY AVAILABLE IN THE MARKET.

WE ARE ALSO AT PRESENT REVIEWING THE LABELS TO SEE IF THEY CONFORM WITH OUR LEGISLATION AND MARKET STANDARDS AND WE CURRENTLY NEED THE SHELF LIFE OF THESE PRODUCTS.

WE WILL KEEP YOU INFORMED.

BEST REGARDS

A PAULET
22614 CILE E
557792 FOXBAT G

Useful Phrases

la muestra *sample*
prever *to foresee*
de igual calidad *of similar quality*
en envase *label, packaging*
las normas *standards*
la vida útil *shelf life*
la fecha de caducidad *sell-by date*

Task 3

You are a buyer for a leading London department store, in Spain at the Barcelona Salón de la Moda. You have been impressed by the work of a new designer who is looking for exposure in the UK market. Convey to her the following in your discussions:

—You like her work and feel that there could be good possibilities in London.

—Your company would be prepared to accept her designs for a trial period of, say, one year.

—Ask when she could have designs and samples available for you.

—Arrange a date for her to visit your London head office.

—Enquire about the possibilities of staging an introductory fashion show in London.

Useful phrases

Hay buenas possibilidades *there are good opportunities*
estar dispuesto a *to be prepared to*
los diseños *the designs*
un periódo de prueba *a trial period*
las muestras *samples*
montar una exposición *to set up an exhibition*

Task 4

Your company wishes to prospect the market in Spain for a new product. Write to your agents in Madrid asking them to carry out preliminary research. Include the following:

(i) Details of your new product.

(ii) Time-scale for production and marketing.

(iii) Information required:
size of market, channels of distribution, competition, prices, opportunities.

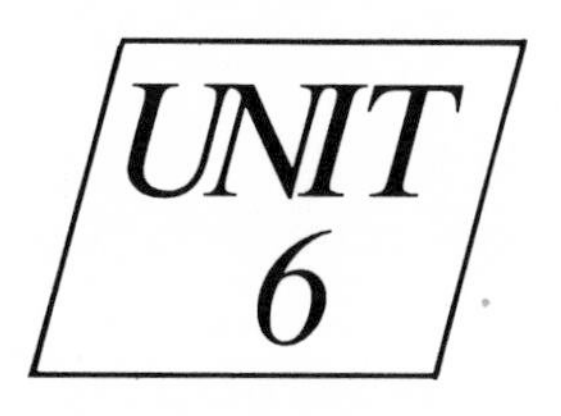

En el restaurante

Sr Laguna —¿Qué tipo de comida te gusta? — Una cosa, ¿no te importa que nos tuteemos?

Mr Richardson—No, no importa nada — lo encuentro más fácil. Tengo que decir que siempre me cuesta un poco saber qué forma usar, porque como no tenemos ese problema en inglés . . .

Sr Laguna —Bueno aquí también puede resultar un poco delicado a veces, pero las cosas han cambiado bastante en los últimos años, y hoy en día la gente no da tanta importancia a estos detalles. ¡De todas formas, cuando habla un extranjero no somos tan exigentes!

Mr Richardson—¡No sabes qué peso me quitas de encima! ¿Qué me estabas diciendo de la comida? A mí me gusta todo.

Sr Laguna —Bueno, depende un poco de lo que te apetezca. Conozco un buen restaurante muy cerca de aquí que está especializado en cocina gallega. Si prefieres la cocina vasca, por ejemplo, tendremos que ir un poco más lejos, y por supuesto, también tienes restaurantes de cocina international . . . Pero como estás en España sería mejor comer algo a la española. ¿No te parece?

Mr Richardson—Sí, estoy de acuerdo. La cocina vasca la conozco y me gusta, pero preferiría probar algo nuevo. ¿Qué tal es la cocina gallega?

Sr Laguna —Pues, básicamente es cocina casera, muy sencilla, mucho pescado, mucho marisco . . . Y los vinos son buenos — a pesar de ser poco conocidos. Habrás oído hablar del vino de Ribeiro, ¿no?

Mr Richardson—Sí, Sí . . . Vamos al gallego entonces.

En el restaurante

Mr Richardson—(mirando la carta) Ya que eres experto, ¿por qué no me das una idea, tú? (se acerca el camarero)

Sr Laguna —Bueno, experto no soy pero te recomendaré algo. Vamos a ver . . . . (*al camarero*) De primero algo para picar: una ración de chipirones, otra de almejas, media docena de langostinos. De segundo, (*a Mr Richardson*) ¿qué te apetece, carne o pescado? Como vamos a comer pescado de primero, ¿quizás te apetezca la carne, o quieres más pescado . . .?

Mr Richardson—Prefiero el pescado, ¡es más ligero, más sano y en España es muy bueno!

Sr Laguna —Muy bien. (*al camarero*) ¿Qué pescado tienen?

Camarero —Tenemos merluza, trucha y rodaballo y también hay centollo y langosta. Les recomiendo el rodaballo que es la especialidad de la casa. Lo preparamos al horno, en una salsa, o a la parrilla.

Sr Laguna —Pues entonces, rodaballo al horno para los dos.

Camarero —Perfecto. ¿Y para acompañarlo, desean algo?

Sr Laguna —(*A Richardson*) ¿Qué te apetece, verdura o ensalada?

Mr Richardson—Una ensalada mixta para mí.

Sr Laguna —Para mí también.

Camarero —Así que son dos ensaladas mixtas. ¿Qué van a beber? ¿Un vino gallego? ¿El Ribeiro o el Albariño, por ejemplo?

Sr Laguna —Empezaremos con el Albariño y traíganos una botella de agua mineral sin gas, por favor.

(*El camarero trae el primer plato y los dos señores empiezan a comer y a charlar.*)

Sr Laguna —¿Te gusta nuestra comida entonces? ¡Mejor que la vuestra! ¿no?

Mr Richardson—Supongo que sí. Pero sabes, la verdadera cocina inglesa también puede ser buena. Lo que pasa es que la mayoría de los españoles que la critican sólo han comido en restaurantes internacionales en Londres, y claro, ¡eso no tiene nada que ver con la buena cocina casera británica!

Sr Laguna —Mmm . . . es posible que tengas razón . . . no te digo que no. ¡La verdad es que somos un poco criticones los españoles!

Mr Richardson—Ya verás. Cuando vengas a Batley, !te invitaremos a unas comidas que te harán cambiar de opinión!

Sr Laguna —Oye, con lo que a mí me gusta comer y probar cosas distintas, ¡cuánto antes, mejor!

Useful phrases and expressions

no importa nada *it doesn't matter at all*
me cuesta + infinitive *I find it difficult to . . .*
hoy en día *nowadays*
de todas formas *in any case*
a pesar de ser *in spite of being*
¿qué te apetece? *what would you like?*
rodaballo al horno *baked turbot*
no tiene nada que ver con *It doesn't have anything to do with/It's nothing like*
lo que pasa es que *the fact is that*
cuanto antes, mejor *the sooner, the better*

Conteste a las preguntas siguientes

1 ¿Por qué le cuesta a Mr Richardson tratar de tú al Sr Laguna?

2 ¿Cómo eligen el tipo de restaurante?

3 ¿Cómo es la cocina gallega?

4 ¿Qué toman de primero?

5 ¿Por qué le apetece a Mr Richardson el pescado?

6 ¿Qué pescado eligen y cómo se prepara?

7 ¿Por qué los españoles suelen criticar la cocina británica?

8 ¿Qué propone Mr Richardson para que el señor Laguna cambie de opinión?

¿Cómo se dice en español?

1 Nowadays people attach less importance to such things.

2 It depends on what you'd like!

3 As you're in Spain, it would be better to eat Spanish food.

4 I'd prefer to try something new.

5 To start with, we'd like a portion of clams (*almejas*).

6 Our cooking is better than yours.

7 Restaurant food is nothing like home cooking.

8 The sooner, the better!

Ahora le toca a usted.

In the following dialogue you play the part of Mr Richardson.

Sr Laguna —¿Qué te apetece, ¿carne o pescado?

Mr Richardson—*I'd prefer fish because it's lighter and I don't like to eat too much at midday. Why don't you give me some idea?*

Sr Laguna —Sí, recomiendo el rodaballo al horno que es la especialidad de este restaurante.

Mr Richardson—*Fine. What are we going to drink? Is there a good wine from Galicia?*

Sr Laguna —Sí. Tenemos el Albariño y el Ribeiro, ambos blancos, secos y muy buenos.

Mr Richardson—*We'll start with the Albariño and let's have some mineral water as well.*

Sr Laguna —¿Qué tal el pescado? Bueno, ¿no? Nuestra comida es mejor que la vuestra, ¿no te parece?

Mr Richardson—*Perhaps, but the majority of Spaniards who criticise our food have only eaten in restaurants in London and real British cooking is nothing like that.*

Sr Laguna —Sí, los españoles criticamos demasiado lo que no conocemos y la verdad es que yo no conozco muy bien vuestra cocina.

Mr Richardson—*When you come to Yorkshire you'll have the chance to try some good English food and then you'll change your mind.*

Prácticas

I Practise changing present tense to imperfect tense *[GS 3]*

Example: A mí, me gusta todo. (cuando era joven)
Cuando era joven, me gustaba todo.

—A las empresas extranjeras les gusta invertir en España. (hasta hace poco)

—Hay una fuerte demanda por los bonos del estado. (antes)

—Se especializa en la compraventa de acciones. (hasta el 'crack')

—La Bolsa de Barcelona es poco importante. (antes de la adhesión de España a la CE)

—El mercado español no ofrece muchas oportunidades para los inversores. (hasta la liberalización bursátil)

—Las acciones se cotizan a la baja. (antes de la fusión de las dos empresas)

II Practise changing future to conditional *[GS 5]*

Example: Tendremos que ir un poco más lejos.
Tendríamos que ir un poco más lejos.

—para ser rentable, la empresa tendrá que expansionar.

—Para sacar el máximo provecho del Acta Unica, habrá que europeizarse.

—Para alcanzar un público más amplio, será preferible optar por una campaña publicitaria nacional.

—Para evitar la quiebra, nos hará falta una reducción de plantilla.

—Para atraer un turismo más adinerado, España se verá obligada a cambiar de imagen.

III Practise preterite of impersonal verbs *[GS 2 and 14]*

Example: ¿Te gusta la comida española?
¿Te gustó la comida española?

—¿Les gustan las especialidades de la casa?

—No me importa el precio.

—Los cálculos os resultan difíciles.

—¿Les interesan las propuestas?

—Os cuesta acostumbraros al horario español.

IV Practise irregular preterites *[GS 2]*

Example: La gente no da tanta importancia a los detalles.
La gente no dio tanta importancia a los detalles.

—Los dos señores van al restaurante.

—Piden una mesa en el rincón.

—No quieren comer carne.

—El camarero les dice lo que hay.

—Les trae el primer plato.

—No saben qué pescado elegir.

—El Sr Laguna sugiere el rodaballo.

—El camarero propone un Albariño para acompañarlo.

Tasks

Task 1

You are in San Sebastián with a number of colleagues. You have heard of a good restaurant in a village called Guetaria but have forgotten its name.

(i) Phone the Oficina de Turismo to find out the name, address, phone number and easiest way of getting there.

(ii) Phone the restaurant and book a table for six, giving date and time. You may have to spell your name.

(iii) You wish to add two more people to the party and arrive a little later. Ring again to change the booking.

Task 2

You are about to order a meal in a Spanish restaurant for yourself and your three companions who do not speak the language.

Discuss the menu on page 43 with the waiter, asking him for advice and information. Then order the meal, choosing from each section as appropriate.

1.er GRUPO

Entremeses y Sopas

	Precio Global a la Carta
Sopa de cocido	350
Sopa de pescados con marisco	650
Consomé	200
Consomé con yema o jerez	250
Consomé especial	450
Patatas con congrio y almejas	700
Alubias con chorizo	450
Gazpacho	500
Menestra	600
Judías verdes	750
Alcachofas con jamón	750
Guisantes con jamón especiales	750
Espárragos dos salsas	700
Espárragos especiales	950
Puerros	650
Gambas a la plancha	1.200
Gambas al ajillo	1.200
Langostinos (4 piezas)	1.000
Entremeses especiales	950
Ración de jamón pata negra	1.500
Melón con jamón	950

Revueltos Especiales

Revuelto de gambas y espárragos	950
Revuelto jamón, guisantes y champiñón	950
Revuelto de champiñón	950
Revuelto de trigueros y gambas	950
Revuelto de ajetes y gambas	950
Revuelto de Gambas, Trigueros ajetes y jamón	950

Ensaladas

Endivias con nueces y manzana	800
Endivias ensalada	450
Ensalada mixta	800
Ensalada	350
Pimientos de Ponferrada	400
Pimientos de Piquillo	550

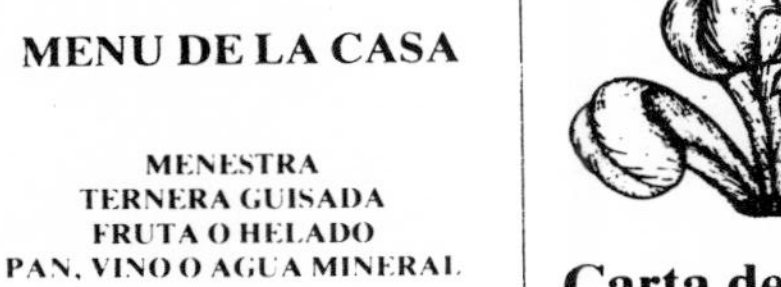

MENU DE LA CASA

MENESTRA
TERNERA GUISADA
FRUTA O HELADO
PAN, VINO O AGUA MINERAL

PRECIO DEL PLATO: 1.550 ptas.

2.º GRUPO

Pescados

	Precio Global a la Carta
Merluza cocida con guarnición	1.450
Merluza rebozada Pozo	1.450
Merluza vasca o cazuela	1.450
Merluza centro plancha	1.450
Merluza cola plancha	1.450
Merluza esp. guisada (encargo)	1.850
Besugo Pozo	1.450
Rape plancha o romana	1.450
Mero a la plancha	1.550
Rodaballo a la plancha	1.550
Gallo a la plancha o romana	1.150
Lubina a la plancha	1.550
Salmón	1.450
Congrio al ajo arriero	1.250
Lenguado a la plancha	1.350
Pez espada-emperador o bonito	1.350
Truchas de Río	1.300
Salmonetes	1.450
Cogotes de merluza	1.450

Mariscos

Camarones	1.200
Langostinos salsa Pozo (encargo)	1.750
Gambas plancha o ajillo	1.200
Almejas marinera	1.250
Angulas	1.800
Salpicón de rape con marisco	1.250
Cigalas plancha 100 gr.	850
Nécoras 100 gr.	350

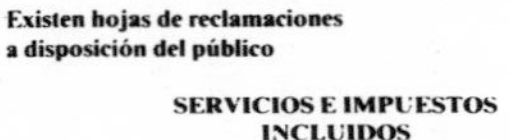

Carta de Platos

Casa POZO Restaurante

Plaza de San Marcelo, 15
Teléfonos 22 30 39 y 23 71 03
(Frente al Ayuntamiento)
LEON

NUESTRAS ESPECIALIDADES "POZO"

Entremeses de la Casa
Guisantes con jamón
Revuelto de Gambas Trigueras
Ajetes y jamón
Revuelto de gambas y espárragos
Merluza rebozada
Merluza cola plancha
Merluza cogote plancha o salsa verde
Salmón guisado o plancha
Besugo Pozo
Morcillo Pozo
Chuleta Pozo
Cochinillo Asado
Lechazo Asado
Lengua Estofada
Mollejas Plancha

ENCARGOS
Merluza especial guisada
Langostinos con almejas

3.er GRUPO

Carnes

	Precio Global a la Carta
Lechazo al horno	1.350
Pollo asado	750
Ternera estofada con patatas o asada	950
Ternera con guisantes guisada	950
Morcillo con patatas Pozo	1.300
Escalope con patatas	1.000
Chuleta de ternera	950
Chuleta Pozo	1.300
Lomo de cerdo	900
Chuletitas de lechazo con patatas	1.250
Lengua estofada	1.200
Bistec de ternera con patatas	1.000
Solomillo a la plancha	1.450
Mollejas a la plancha	1.200
Cochinillo asado	1.350
Jabugo o pata negra	1.500

Varios

Patatas fritas	200
Pan	50
Mantequilla	150
Guarnición	200

4.º GRUPO

Postres

	Precio Global a la Carta
Zumo de naranja natural	200
Tarta de San Marcos	300
Tarta helada o manzana o charlota	300
Macedonia de frutas	300
Tocinillo o manzana asada	250
Tocinillo con helado	300
Flan casero	200
Flan con Helado	300
Piña o melocotón	250
Fruta del tiempo	250
Arroz con leche	250
Cuajada con miel	250
Helado	250
Copa especial Pozo	550
Quesos manchego o Peña Santa	300
Yogourt	200
Fruta, una pieza	200
Piña natural	300
Natillas	250
Fresas con nata	450
Leche frita	300

NOTAS IMPORTANTES:

1.ª—En esta carta figuran los grupos de platos y el numero de éstos que como MINIMO establece la Ordenación de Restaurantes en la forma siguiente:
1.er Grupo: Cuatro variantes de entremeses y dos sopas.
2.º Grupo: Tres platos, alguno de ellos de pescado.
3.er Grupo: Dos platos de carne.
4.º Grupo: Dos variantes a base de queso, dulce o fruta.

2.ª—El Cliente que solicite el "Menú de la Casa" estará obligado al pago íntegro de su precio aún cuando renuncie a consumir alguno de sus componentes.

3.ª—Cuando se hubiese agotado alguno de los platos que componen el "Menú de la Casa", se sustituirá por otro de características similares.

4.ª—Los precios de los MARISCOS y ANGULAS —si lo tiene la Casa—, se hacen constar en LISTA ANEXA, determinándose "SEGUN PESO O CANTIDAD".

5.ª—PRECIOS UNICOS: no podrá cobrarse de más ni de menos.

Existen hojas de reclamaciones a disposición del público

SERVICIOS E IMPUESTOS INCLUIDOS

Task 3

A Spanish contact of yours has heard of the recent upsurge of interest in Spanish food in general and **tapas** in particular. You are interested in a possible joint venture with him/her in London and, in the course of your research, have come across the following information:

1 Spain now part of the EC; this, together with sizeable community of Spaniards living in London and large numbers of British visitors to Spain, mean increasing awareness and appreciation of Spanish food and drink.

2 Quality image of Spanish food and wine being promoted so no longer considered to be inferior to French and Italian, e.g. increased consumption of Rioja — half a million cases annually.

3 New Spanish restaurants and **tapas** bars have been appearing in London and their acceptance by the public indicates scope for such ventures. **Tapas** in particular proving extremely popular following similar success in New York.

4 Demand strictly for authenticity, preferably with regional specialities and quality ingredients. Expensive decor and high prices counter-productive.

Draft a letter to him/her in Spanish outlining your findings to date.

Hablando mercados

Mientras comen siguen charlando . . .

Mr Richardson—Como te decía antes, estamos interesados en exportar nuestros productos a España. El estudio de mercado que encargamos el año pasado indica que existe un hueco en el mercado español para las galletas de alta calidad ya que, hasta ahora, las empresas nacionales se han concentrado en la producción de galletas normales y corrientes; ya sabes, las de consumo diario. Según parece, casi todas las galletas de alta calidad que se venden en España se importan de Francia y Alemania.

Sr Laguna —Sí, en efecto . . . En España, hay muchos fabricantes de galletas — pero con una gama bastante limitada — que están expecializados en la llamada galleta española, o sea, tipo María, tostada, etc. Pero existen tres grandes productores que cuentan con . . . alrededor del 60% del mercado. Sin embargo, que yo sepa, la galleta de mantequilla tipo europeo se produce en mucha menor cantidad aquí.

Mr Richardson—Supongo que te refieres a Fontaneda, Cuétara y Siro ¿no? Las conozco pero según me han informado, su éxito y volumen de ventas son más bien reducidos en comparación con la competencia extranjera en el sector de lujo. Además, creemos que la demanda para este tipo de producto está en alza y que podría tener cabida otra marca en el mercado.

Sr Laguna —Quizás tengas razón. Hasta ahora ha habido una diferencia bastante grande entre el consumo de galletas aquí y en tu país. Nosotros por ejemplo, desayunamos a menudo con galletas, pero no tenemos la costumbre de tomar el té con galletas a las cinco. Un español no suele comer entre las comidas. Además, tienes que reconocer que el mercado potencial de un producto de lujo puede resultar muy limitado y por lo tanto, cabe la posibilidad de que esté ya saturado.

Mr Richardson—¡Hombre! En un primer momento acepto que el mercado para nuestro tipo de producto no es nada parecido al de las galletas de consumo habitual . . . pero hay que tener en cuenta los cambios que se han producido . . . y siguen produciéndose en el mercado español.

Sr Laguna —Mm . . . ¿ Por ejemplo?

Mr Richardson—¡Pues mira! Pensamos que el mercado español se está haciendo cada vez más sofisticado y de esta forma se parece cada vez más al de los demás países europeos. Como sabes, el sector de productos de alta calidad está muy internacionalizado y la gente con alto poder adquisitivo tiende a pensar que los productos de importación son de mejor calidad que los nacionales, sobre todo en lo que se refiere a galletas y dulces.

Sr Laguna —Sí, creo que tienes razón. Pensándolo bien, es verdad que en los últimos años los españoles nos hemos hecho más europeos en cuanto a gustos y estamos más dispuestos a probar cosas distintas, como tú bien dices. Creo que podría haber posibilidades pero de todas formas aquí hay que andar con cuidado, . . . ¿ya me entiendes?

Mr Richardson—¿Por qué dices eso?

Sr Laguna —Lo digo porque, como ya te puedes imaginar, el mercado español es complicadísimo y se necesita un conocimiento profundo del país para emprender un proyecto de esta magnitud.

Mr Richardson—Exactamente. Esa es precisamente la razón por la que pensamos que tú serías la persona ideal . . . Aunque ya sé que no has tenido mucho tiempo para considerar el tema, ¿me podrías dar una idea aproximada de la posible aportación de tu empresa? Claro, dentro de poco tendréis la oportunidad de presentar vuestras ideas más detenidamente a nuestra Junta Directiva.

Sr Laguna —Me interesa mucho lo que me estás proponiendo pero ¿por qué no terminamos de comer y seguimos luego en la oficina? A ver, ¿qué vas a tomar de postre?

Mr Richardson—(*mirando la carta*) Mmm, . . . a mí me apetecen unas fresas con nata.

Sr Laguna —¡Oiga! Por favor, fresas con nata para el señor y para mí una tarta de almendras.

Camerero —Sí señor. En seguida. ¿Van a tomar café?

Mr Richardson—Sí, yo un cortado.

Sr Laguna —Sí, un café sólo para mí. Y ¿me trae la cuenta, por favor? Una cosa, ¿se puede pagar con tarjeta de crédito?

Camarero —Sí, pero sólo con la Visa, no aceptamos las otras.

Useful phrases and expressions

según parece *apparently*
que yo sepa *as far as I know*
podría tener cabida *there could be scope for*
a menudo *often*
cabe la posibilidad de que . . . *it is possible that*
cada vez más *increasingly*
el poder adquisitivo *purchasing power*
estar dispuesto a *to be willing to*
una idea de la posible aportación de tu empresa *an idea of what your firm might contribute*

Conteste a las preguntas siguientes

1 ¿Cómo sabe el señor Richardson que existe un hueco para las galletas de calidad en el mercado español?

2 ¿En qué suele especializarse el sector galletero español?

3 ¿Por qué se considera que cabría otra marca en el mercado español?

4 ¿Cuál es la diferencia principal entre el consumo de galletas en España y en Gran Bretaña?

5 ¿Por qué no cree el señor Richardson que el mercado esté ya saturado?

6 ¿Qué cambios se han producido en el mercado español?

7 ¿Cuál es la actitud de la gente con un alto poder adquisitivo hacia los productos de importación?

8 Según el señor Laguna, ¿en qué ha cambiado la mentalidad de los españoles en los últimos años?

9 ¿Por qué habrá que ir con cuidado en el mercado español?

10 ¿Qué opina el señor Laguna de lo que dice el señor Richardson?

¿Cómo se dice en español?

1 The market study that we commissioned last year.

2 There exists an opening in the Spanish market.

3 Three large firms account for 60% of the market.

4 As far as I know, demand for this type of product is on the increase.

5 There is a marked difference between consumption in Britain and in Spain.

6 You must take into account the changes that have occurred.

7 The Spanish market is becoming increasingly sophisticated.

8 We Spaniards have become more European in recent years.

9 They are more willing to try different things.

10 We think that you would be the ideal person.

11 Could you give me an idea of what your firm can contribute?

12 I am very interested in what you are proposing.

Ahora le toca a usted:

In the following dialogue you play the part of Mr Richardson.

Mr Richardson—*As I was saying, our market study indicates a gap in the Spanish market for our products.*

Sr Laguna —Bueno, hay tres empresas nacionales muy grandes que cuentan con un 60% del mercado.

Mr Richardson—*Yes, but their success in the luxury sector is very limited compared with foreign competition. Also we think that the demand for this type of product is on the increase.*

Sr Laguna —Quizás, pero hay una diferencia bastante grande entre el consumo de galletas aquí y en tu país. Nosotros no solemos comer tantas como vosotros.

Mr Richardson—*We believe that Spaniards are becoming more European and that people who have a lot of money to spend are increasingly interested in quality foreign products.*

Sr Laguna —Sí. Es cierto que los españoles estamos más dispuestos que antes a probar cosas distintas, pero el mercado español es muy complicado . . . .

Mr Richardson—*I agree — and for that reason we feel that you would be the ideal person to work with us. Could you tell me a little more about your company's activities?*

Prácticas

I Practise seguir *and present participle*

Example: Se han producido muchos cambios. Sí, y siguen produciéndose.

—Se han presentado muchas oportunidades.

—Han subido los precios.

—Han mejorado las perspectivas.

—Ha empeorado la coyuntura.

—Ha cambiado el clima.

—Ha caído la demanda.

II Practise use of es cierto que + *perfect tense* *[GS 6]*

Example: Los españoles nos hacemos más europeos.
Es cierto que los expañoles nos hemos hecho más europeos.
Vendemos una amplia gama de productos.
Es cierto que hemos vendido una amplia gama de productos.

—Representa a varias compañías del sector.

—Trabaja bien en el proyecto.

—Calculo el precio al por mayor.

—Ven los errores.

—Pedís demasiadas piezas.

III Practise use of **cabe la posibilidad de que** *+ present subjunctive* *[GS 10]*

Example: El mercado está saturado.
Cabe la posibilidad de que el mercado esté saturado.

—El modelo está agotado.

—Tienes razón.

—Los gustos van cambiando.

—Los españoles se hacen más europeos.

—Consumimos más productos de importación.

—No les gusta el envase.

IV Practise use of **haber** *to translate 'there is', 'there are'*

Example: There has been a considerable difference.
Ha habido una diferencia bastante grande.

—There is a market in Spain for our products.

—There will be many more opportunities in 1992.

—But there have been certain difficulties.

—For example, there used to be tariff barriers and import quotas.

—There was, however, a fundamental change in 1986 when Spain entered the European Community.

—Since then there has been a gradual reduction of these barriers.

—There will be greater investment potential but this depends upon the economic climate.

Tasks

Task 1 INMERCA S.A.

1 Draft a letter in Spanish to Inmerca S.A., a market research company in Madrid, commissioning a market study for Fox's Biscuits in Spain.

Introduce your company and indicate the information you require, e.g. current market for quality biscuits in Spain, domestic and foreign competition, regional differences, retail outlets, distribution etc. Mention that you intend to visit Madrid later in the month and that you would very much like to arrange a meeting with them.

2 Reply to letter for study/sight translation.

Muy señores míos:

24 de enero

En respuesta a su reciente carta pidiendo información referente al mercado español de las pastas y galletas de alta calidad en España, les enviamos el presente informe.

- El mercado en general se encuentra muy poco desarrollado y está dominado por empresas de nacionalidad extranjera, en particular francesas y suizas. Los fabricantes españoles dedican todo su esfuerzo al sector de las galletas de inferior calidad.
- Las diferencias regionales son bastante grandes y el consumo de galletas de lujo se circunscribe prácticamente a Madrid y Cataluña y luego, un poco más retrasados, Valencia, Sevilla y el País Vasco, en especial Vizcaya.
- Recientes estadísticas demuestran que los consumidores son muy conformistas y podemos deducir de esas encuestas que el mercado se encuentra lejos de estar saturado. Esto se puede deber, en parte, a la progresiva europeización del país a partir de nuestro ingreso en la CEE.
- Los principales centros de venta para este segmento del mercado son los grandes almacenes (El Corte Inglés, Galerías Preciados etc) y establecimientos dedicados a la venta de productos de alta calidad. Sin embargo, experiencias realizadas por la compañía Nestlé demuestran que estos productos tienen un volumen de ventas aceptable en grandes supermercados.
- En cuanto a la distribución de estos productos, tenemos que decir que normalmente se utilizan los mismos canales que para los bonbones y chocolates de lujo, emportándose casi todo por medio de grandes camiones refrigerados con objeto de que no pierdan su calidad.
- Dado que usted tiene la intención de acercarse a Madrid, nos veríamos muy honarados si pudiéramos concretar una cita en orden a ampliar los datos del presente informe. En los próximas días nos pondremos en contacto con ustedes para preparar los detalles de la reunión.

Sin más que añadir, y al la espera de sus noticias, se despide atentamente.

José Antonio Marchena
DIRECTOR

3 Put the following telex into Spanish.

89-03-31 02:54
Msg 720 Title :

ATTN: SR MARCHENA, INMARCA, S.A.

THANK YOU FOR YOUR LETTER REGARDING SPANISH MARKET FOR QUALITY BISCUITS. FINDINGS SEEM POSITIVE. AS MENTIONED, WOULD LIKE TO ARRANGE MEETING WITH YOU IN MADRID. IS 18 MAY SUITABLE? PLEASE ADVISE AS SOON AS POSSIBLE.

4 Meeting with Inmerca.

You —*I'm delighted that prospects seem good for our products in Spain.*

Inmerca—Sí, efectivamente. El estudio preliminar parece muy positivo a pesar de la competencia existente.

You —*What can you tell me about our main competitors?*

Inmerca—Son principalmente productos franceses y alemanes pero no ofrecen una gama tan amplia.

You —*Do you feel that the market is increasing for high quality biscuits and that there is room for new brands?*

Inmerca—Sin duda alguna y encima, los productos ingleses siempre tienen cierta categoría . . .

You —*I'm pleased to hear it. Is that the case throughout Spain or do tastes vary regionally?*

Inmerca—Obviamente, es algo que se nota más en las grandes cuidades como Madrid y Barcelona y claro en las zonas turísticas.

You —*So that's why you suggested in your letter that we concentrate on those areas.*

Task 2 Telex Translation

(a) **Telex 1**

Translate into English:

(b) **Telex 2**

Translate into Spanish:

Telex 1

58776 INDECH E
557792 FOXBAT G

19/01/89

ATN. JEFE DE MARKETING, FOX'S

ESTAMOS INTERESADOS EN RECIBIR SU CATALOGO CON SUS MEJORES PRECIOS Y
DE SER POSIBLE, MUESTRAS DE SUS PRODUCTOS. NOSOTROS SOMOS
FABRICANTES DE GALLETAS, CARAMELOS Y TURRONES. SI LLEGAMOS A UN
ACUERDO QUISIERAMOS TENER LA EXCLUSIVA PARA LA DISTRIBUCION DE SUS
PRODUCTOS EN ESPANA. TENEMOS UNA AMPLIA RED COMERCIAL QUE CUBRE TODA
LA PENINSULA.

NUESTRA DIRECCION ES: INDUSTRIAS ECHEGARAY
COMPO VALENTIN 21, BILBAO
TEL: 94 31 0458

SALUDOS
R SALEGUI
JEFE DE EXPORTACION

Telex 2

557792 FOXBAT G
58776 INDECH E

22/01/89

ATTN. R SALEGUI, EXPORT MANAGER

RE YOUR RECENT TELEX WE APPRECIATE YOUR INTEREST IN OUR BISCUITS BUT
HAVE TO ADVISE YOU THAT WE ARE CURRENTLY IN NEGOTIATIONS WITH
VENDALSA IN MADRID REGARDING DISTRIBUTION AND SALE OF OUR BISCUITS IN
SPAIN. DETAILS OF YOUR ENQUIRY WILL BE PASSED TO THEM. SUGGEST YOU
CONTACT THEM DIRECT.

REGARDS

W HARDCASTLE
ASSISTANT EXPORT MANAGER

58776 INDECH E
557792 FOXBAT E

La aportación potencial de Vendalsa

Continúan las conversaciones. El Sr Laguna precisa el papel que podría jugar en una colaboración entre Fox's y Vendalsa.

Sr Laguna —Llevamos muchos años trabajando en el sector de la alimentación. Nos especializamos en la representación de empresas confiteras y, como ya te comentaba, tenemos tres o cuatro empresas británicas entre nuestros clientes. Hasta el momento han quedado muy satisfechos de los resultados que hemos conseguido. Mira, sin ir más lejos, te voy a dar un ejemplo. Acabamos de lanzar un nuevo producto de chocolate para una compañía inglesa. Nos hemos encargado de todo: promoción, distribución, merchandising, etc. etc.

Mr Richardson—¿Y cómo van las ventas?

Sr Laguna —Estupendamente. Nosotros estamos muy contentos y, según parece, los clientes también están satisfechos.

Mr Richardson—Por lo visto, conoces muy a fondo el mercado. ¿Me imagino que ya tendréis muy bien establecida vuestra red de contactos? ¿No es así?

Sr Laguna —¡Hombre, claro que sí! Tenemos un equipo de representantes que cubre Madrid, Barcelona y el País Vasco que son los mercados que, en un principio, más oportunidades ofrecen. Trabajamos en esas regiones desde hace muchos años y por eso, conocemos a la mayoría de los compradores más importantes, tanto en hipermercados como en supermercados y otras tiendas de alimentación.

Mr Richardson—¡Bien! Así que tenéis muy bien cubierto Madrid y el norte de España, pero no has dicho nada del sur.

Sr Laguna —Pues realmente es porque, hasta ahora, nos hemos concentrado en Madrid y el norte con objeto de consolidar nuestra presencia. Pero esto no quiere decir que no nos interese el resto de España ¡ni mucho menos! Si así fuera, tendríamos muy poca visión de futuro. Hasta ahora hemos trabajado muy poco en el sur y nuestros intereses allí son representados por un subcontratado. Sin embargo, nos damos cuenta de que el mercado del sur puede ser prometedor para empresas entranjeras y por eso, estamos decididos a montar algo allí.

Mr Richardson—Me alegro saberlo ya que, en un primer momento, habíamos pensado en las oportunidades que ofrecía el mercado en el sur, más que nada por la gran afluencia de turistas y la cantidad de residentes británicos que viven en aquellas zonas, porque, claro, esto representa un mercado seguro para nuestros productos — todos sabemos lo golosos que somos los británicos. Sin embargo, a largo plazo, es evidente que no queremos limitarnos a vender nuestros productos a los británicos que viven en

España o que vienen de vacaciones. ¡También queremos aprovecharnos de lo golosos que sois vosotros!

Sr Laguna —Me parece muy buena idea. Es cierto que comemos más dulces que antes. De cara al mercado que queda por explotar en la costa mediterránea, estoy seguro de que merece la pena instalarnos allí cuanto antes. Vuestro interés en la región parece encajar perfectamente con nuestros planes.

Mr Richardson—En cuanto a almacenaje, ¿supongo que tendréis locales en Madrid, Barcelona y el norte?

Sr Laguna —Por supuesto que sí. Cuando empezamos, tomamos la decisión de instalar las oficinas en polígonos industriales en vez de buscar locales más céntricos y así hemos evitado problemas de espacio y comunicación.

Mr Richardson—¿Y pensáis hacer lo mismo en el sur?

Sr Laguna —Sí, y encima, es muy posible que nos concedan alguna ayuda económica, pues en ciertas zonas como Andalucía, con un alto índice de paro, se esfuerzan en atraer a nuevas empresas.

Mr Richardson—¡Ah, eso sí que suena interesante! Pero me imagino que con todos los trámites se tardará mucho, ¿no? ¿Qué te parece si volvemos a reunirnos, digamos dentro de un mes? Eso te dará el tiempo necesario para recoger más datos y pensar un poco en el asunto. Y mientras tanto yo les informaré a mis compañeros en Batley de todo lo que hemos comentado y a ver lo que me dicen.

Sr Laguna —No te olvides de mandarnos más muestras de vuestros productos ya que la selección que trajiste fue un poco limitada. Además tenemos que presentarlas a las autoridades sanitarias para conseguir nuestro número de licencia de importación. Las autoridades, tienen que examinar el envase, los ingredientes etc. para comprobar si cumplen los requisítos exigidos por la actual legislación sanitaria. Si todo va bien, vuestros productos estarán inscritos en el registro sanitario. Es un lío pero si no lo hacemos así, ¡no podremos seguir adelante!

Mr Richardson—Sí, ya sé que hay un sinfín de trámites burocráticos. Procuraré enviarte las muestras lo antes posible por vía aérea y así no tardarán nada en llegar.

Sr Laguna —Perfecto. ¡Y si pudieras incluir un paquete de aquellas galletas de chocolate que tanto me gustaron, te lo agradecería mucho!

Useful phrases and expressions

llevamos muchos años trabajando . . . *we've been working for many years*
concocer a fondo . . . *to be thoroughly acquainted with . . .*

¡ni mucho menos! *far from it!*
estar decidido a *to be determined to*
a largo/corto plazo *in the long/short term*
el mercado que queda por explotar *the market that remains to be developed*
no merece/vale la pena *it's not worth it*
¡eso sí que suena interesante! *that does sound interesting!*
mientras tanto *in the meantime*

Conteste a las preguntas siguientes

1 ¿Qué experiencia tiene el Sr Laguna en el sector de la alimentación?

2 ¿De qué acaba de encargarse Vendalsa para un cliente británico?

3 Explíque la fuerte presencia de Vendalsa en el norte y en Madrid.

4 Hasta ahora, ¿cómo han cubierto el sur y cómo piensan cubrirlo en el futuro?

5 ¿Qué ventajas eventuales existen para las empresas que se instalen en el sur?

6 ¿Por qué deciden reunirse de nuevo dentro de un mes?

7 En su opinión, ¿cuál podría ser el resultado de las discusiones entre los dos directores?

8 ¿Qué exigen las autoridades sanitarias? ¿Por qué? En su opinión, ¿para qué sirve el registro sanitario?

¿Cómo se dice en español?

1 We have been working in this sector for a number of years.

2 We have just launched a new product.

3 You have a thorough knowledge of the market.

4 We have a team of representatives covering the markets which offer the best prospects.

5 Our aim is to strengthen our presence in Madrid.

6 This does not mean we are not interested in the rest of Spain, far from it!

7 If that were the case, we'd be lacking in foresight.

8 The market in the south looks promising.

9 In the long term we don't want to limit ourselves to selling to British tourists.

10 Your interests seem to fit in with ours.

11 To avoid problems of space we located our offices in industrial estates.

12 Financial assistance is granted to attract companies to areas of high unemployment.

13 Packaging and ingredients must conform to health regulations.

14 The bureaucracy is endless.

Ahora le toca a usted:

In the following dialogue you play the part of Mr Richardson.

Sr Laguna —Llevamos muchos años trabajando en el sector de la alimentación y acabamos de lanzar un nuevo producto.

Mr Richardson—*How are sales going?*

Sr Laguna —Estupendamente. Estamos todos muy contentos.

Mr Richardson—*You seem to know the market very well and have a good network of contacts established.*

Sr Laguna —¡Claro! Después de tantos años trabajando en ello conocemos a la mayoría de los compradores en los grandes almacenes.

Mr Richardson—*You're well established in the North, but you haven't mentioned the South.*

Sr Laguna —Es debido a que hasta ahora, nos hemos concentrado en el norte para consolidar nuestra presencia, pero claro, nos interesa mucho el resto de España, sobre todo el sur.

Mr Richardson—*So, you hope to have a base there and take advantage of the tourist market?*

Sr Laguna —Sí, y es posible que nos concedan alguna ayuda económica.

Mr Richardson—*That would be excellent! Let's have another meeting in a month. That will give you time to get more information.*

Sr Laguna —Necesitamos más muestras para someterlas a las autoridades sanitarias.

Mr Richardson—*Of course. I'll send them by air so they won't take long to arrive.*

Prácticas

I Practise perfect tense and reflexive verbs *[GS 7]*

Example: ¿En qué se especializan ustedes?
Hasta ahora nos hemos especializado en la confitería.

—¿En qué se especializan ustedes? (los productos de alta categoría)

—¿De qué se encargan ustedes? (de un estudio de mercado)

—¿A qué sector de dirigen ustedes? (al sector alimenticio)

—¿En qué se concentran ustedes? (en la imagen de marca)

—¿A qué zonas se limitan ustedes? (a las zonas turísticas)

—¿A qué se dedican ustedes? (al desarrollo de un nuevo mercado)

II *Practise* me imagino que + *future tense*

Example: ¿Tiene usted muchos contactos en este sector?
Me imagino que tendrá muchos contactos en este sector.

—¿Tiene usted mucha experiencia en el área de la informática?

—¿Exportan ustedes a los países de habla inglesa?

—¿Venden ustedes a los grandes almacenes?

—¿Aprovechan ustedes la adhesión de España a la Comunidad Europea?

—¿Concede usted un descuento de un 5% del precio total?

III *Practise use of passive with the verb* ser *and* por *[GS8]*

Example: Su compañía representa nuestros intereses.
Nuestros intereses **son** representados **por** su compañía.

—Nuestra oficina en Londres representa nuestros intereses en Inglaterra.

—La publicidad aumenta nuestras ventas.

—Las inversiones crean muchos empleos.

—La devaluación de la peseta fomenta las exportaciones.

—la coyuntra positiva estimula la creación de empleos.

IV *Practise use of* lo + *adjective* + que es/son *[GS 17]*

Example: Los españoles son golosos.
Todos sabemos lo golosos que son los españoles.

—Los locales en Marbella son caros.

—Los clientes son exigentes.

—El sector de alimentación es competitivo.

—La solución es complicada.

—Las razones son obvias.

V *Practise using either* tanto . . . como *or* ni . . . ni

Example: ¿Has considerado el lado positivo y el lado negativo?
Sí, he considerado **tanto** el lado positivo **como** el negativo.
No, no he considerado **ni** el lado positivo **ni** el negativo.

—¿Ha tenido usted en cuenta los impuestos y la comisión? (Sí)

—¿Han evaluado ustedes los gastos de consumo y las inversiones de capital? (No)

—¿Os habéis puesto en contacto con mayoristas y minoristas? (Sí)

—¿Ha ponderado usted los riesgos y los beneficios? (No)

—¿Se ha aprovechado la empresa de las desgravaciones fiscales y las primas a la exportación? (Sí)

—¿Ha remitido el Jefe de Ventas los folletos y las tarifas? (No)

VI Practise **por** *and* **para** *[GS 16]*

Study the following passage and fill the gaps with **por** and **para** as appropriate.

Un informe fue encargado . . . . . la dirección . . . . los accionistas. Fue redactado . . . . . el contable de la empresa. Tenía que tenerlo terminado . . . . . finales del ejercicio. . . . . . recoger los datos, tuvo que pasar . . . . varios departamentos. Logró conseguir el 90 . . . ciento de los datos. . . . . ser una tarea muy exigente, se vio obligado a trabajar . . . . la noche. Estuvo . . . . terminarlo cuando su trabajo fue interrumpido . . . . la llegada de los auditores y no pudo acabarlo . . . . falta de tiempo.

Tasks

Task 1

On returning to England, Mr Richardson draws up a memo for Señor Laguna outlining the main points of their discussions. Write the memo in **Spanish** to send to Spain including the following points:

—Fox's market study shows a gap in the Spanish market for high quality biscuits.

—A good time to break into the Spanish market because of EC entry, increasing sophistication/internationalization of Spanish tastes/prepare ground for 1992.

—Vendalsa's knowledge of the food sector and their network of contacts is important.

—Both parties are interested in the South and financial incentives are available.

—Importance of finding suitable premises as soon as possible.

Task 2

Fox's has decided to open an office in Barcelona and you are making preliminary enquiries. Having found the above advert in the Vanguardia (Barcelona), make a phone call to Sr Subirana (3) 395–13–11 and ask about the premises advertised. Include the following questions:

—distance from centre of Barcelona

—Communications (road, rail, air)

—Cost

—Availability

—Suitability for your needs

BADALONA
(junto autopista)
LOCAL
DE 1.300 M²
EN 5 PLANTAS
Entrada de camiones. Todos los servicios. Edificio nuevo. Carga 750 kg. x m². Montacargas 1.500 kg. Apto para almacén, oficinas o pequeña industria
Interesados llamar al tel. 395-13-11, Sr. Subirana

Useful phrases and expressions:

¿a qué distancia está del centro? *how far from centre?*
la autopista; el ferrocarril *motorway; railway*
el aeropuerto de Barcelona *Barcelona airport*
alquilar, el alquiler *to rent, the rent*
estar disponible, la disponibilidad *to be available, availability*
las instalaciones *facilities*
ser adecuado para *to be suitable*

Task 3

As an alternative strategy to an agency agreement, Fox's are also pursuing the possibility of a joint venture with Siro, a Spanish biscuit manufacturer.

You are responsible for collating information on Siro's activities and may have identified a gap in their product range which you think Fox's can fill.

1 Study the article below on Siro.

2 Prepare a presentation to be made to Siro **in Spanish** in which you include:

(i) a brief history of Fox's, including recent developments in technology and marketing;

(ii) Based on information extracted on Siro, explain why you feel that Fox's could complement their activities and indicate which of your lines could be of interest to them.

Galletas Siro empezó en septiembre a producir en su nueva fábrica de Madrid, la más moderna de Europa, y con la que su presidenta, Alejandra Fernández, quiere convertir a la antigua compañía palentina en la primera firma del sector galletero español.

La historia de Siro ha estado marcada desde sus comienzos por una oferta insuficiente para cubrir una demanda en aumento. Seis años después de poner en marcha la planta de La Carolina, hubo que ampliar la producción porque Siro tenía ya un mercado nacional. La vieja fábrica de Alar estaba obsoleta. Una nueva factoría se levantó en 1969 en Venta de Baños, también en Palencia, aunque a 200 kilómetros de Alar. Se invirtieron 340 millones de pesetas para producir 90.000 kilos/día, el 10 por ciento del mercado español. Alar se cerró y la maquinaria, en vez de ponerse a la venta, se destruyó. En aquel momento había unos 300 fabricantes de galletas en España y no se podía animar a la competencia, aunque fuera de pequeño tamaño.

Siro ha podido alcanzar el tercer puesto por volumen de producción, entre los fabricantes de galletas españoles, detrás de Fontaneda, que ostenta el 30 por ciento y de Cuétara, con el 18 por ciento. La compañía palentina se reconoce fabricante de la llamada galleta española, actualmente con un peso en el mercado de entre el 70 y el 80 por ciento, si bien quiere introducirse ahora en la galleta de mantequilla tipo europeo.

Siro tiene 40 delegaciones en toda España, de las cuales son instalaciones en propiedad las de Madrid, Barcelona, Sevilla, Bilbao, Zaragoza, Asturias y Santander. Desde ellas se estructura una red de ventas local que efectúa la distribución, salvo la que se realiza directamente a los grandes mayoristas, que son el 30 ó 35 por ciento del total. La compañía no tiene prácticamente existencias de producto terminado, puesto que la galleta llega al cliente en plazo máximo de 72 horas desde que ha salido del horno. Pero todavía queda mucho por hacer en la política de marketing: **«Ahora vamos a cambiar todo el marketing de la empresa»**, asegura la presidenta de la compañía. Algunos peldaños se han ido escalando paulatinamente desde hace algunos años. Por ejemplo, Siro suministra directamente a Iberia, aunque ningun cliente compra mas del 2 por ciento de las ventas totales de Siro que el año pasado fueron de 4.000 millones de pesetas y que con la puesta en marcha de la nueva fábrica ascenderán en 1987 a 6.500 millones.

En el precio se encuentra también buena parte de la clave del éxito de Siro. El precio medio de un kilo de galletas en Europa es entre 600 y 800 pesetas; Siro ronda las 200 pesetas. No es extraño, por tanto, que a la empresa española no le haya sido especialmente difícil traspasar las fronteras, aunque sus esfuerzos exportadores hayan sido limitados, por el momento, porque **«todo lo ha hecho el producto»**. El 10 por ciento de sus ventas termina en los Emiratos Arabes, Alemania Federal, Suiza, Francia, Reino Unido, Estados Unidos y, desde 1985, Japón. La demanda de la compañía tanto en el mercado interior como en el exterior, ha permitido obtener un *cash flow* de 600 millones de pesetas en 1986 y un beneficio de 320 millones de pesetas.

Fox's Biscuits Ltd
PO Box No 10
Batley, West Yorkshire, WFI7 5JG, England
Tel: National: Batley (0924) 444333
International: +44 924 444333
Telex: 557792 FOXBAT G

¿QUE VIENE DESPUÉS DEL CAFÉ DE LA MAÑANA?
Cualquiera del delicioso surtido de galletas tradicionales de Fox's por supuesto.
Este sentimiento es expresado en todo el mundo porque Fox's goza actualmente de creciente éxito en más de 40 países.
Sus galletas están hechas según tradicionales niveles de calidad, no igualados por ningún otro fabricante. Muchas de las recetas datan alrededor de 1800, época en que se fundó la compañía, pero Fox's utiliza las más modernas instalaciones y sofisticadas técnicas de elaboración a fin de asegurar el máximo de eficiencia e higiene. (La compañía es miembro del Northern Foods Group, valorado en £1.000 millones).
En la medida de lo posible se emplean ingredientes naturales, y es política de Fox's no usar ningún tipo de grasa animal.
Con más de 70 productos actualmente en elaboración, la elección es muy grande y variada. ¿Cuál elegirá Ud. para acompañar su próxima taza de café?

Los detalles de la colaboración

Un mes más tarde los Señores Richardson y Laguna vuelven a reunirse para concretar las condiciones de la colaboración entre sus dos empresas.

Sr Laguna —Ah, Mr Richardson, pasa. Siéntate. Encantado de verte otra vez. ¿Qué tal estás? ¡Espero que traigas las galletas que me prometiste!

Mr Richardson—Galletas — ¡y buenas noticias también!

Sr Laguna —Bueno, primero dáme las galletas y después las noticias . . .

Mr Richardson—La empresa me ha encargado de hacerte una oferta concreta. Me han dado la luz verde para lanzar nuestras galletas pero hemos decidido en un principio limitarnos a ciertas zonas geográficas, o sea Madrid, Barcelona y Málaga, Costa del Sol.

Sr Laguna —¡Qué bien! Me alegro mucho de saberlo. Pues yo también tengo buenas noticias para tí. Parece que no va a haber ninguna pega o sea, tus ingredientes, envases, etc. conforman a las normas sanitarias de las Autoridades. Y una vez firmado un contrato, no tardaremos nada en conseguir el número de licencia de importación. En cuanto a la Costa del Sol ya he recibido un montón de información sobre varios polígonos. Lo único que me queda por hacer es eligir entre las mejores ofertas que, en este momento, parecen ser Sevilla y Málaga.

Mr Richardson—Bueno, desde nuestro punto de vista, Málaga sería ideal, pues está muy cerca de la Costa del Sol donde queremos concentrar nuestros esfuerzos en el sur. Sin embargo, en fin de cuentas, tu sabrás mejor que nosotros cuál será el mejor lugar. Por eso, la decisión final será tuya.

Sr Laguna —Del punto de vista logístico claro está que Málaga está dotada de una red de comunicaciones impresionantes pero no podemos descartar las ventajas que ofrece Sevilla en cuanto a la disponibilidad de mano de obra cualificada y según la información que tengo, las subvenciones serán mayores.

Mr Richardson—La facilidad de transporte es imprescindible ya que cuanto menos se gasta en transporte, tanto más se gana en beneficios. Por ejemplo, nuestros precios actuales FOB Southampton a Madrid son £1150 por carga completa y £80 por tonelada en cargas parciales.

Sr Laguna —Me parecen caros estos precios. ¿Hay descuentos?

Mr Richardson—Sí. Para cargas completas, un 15% y para las parciales, un 5%.

Sr Laguna —Menos mal, pero a ver si más tarde podemos rebajarlos un poco. Podría resultar muy importante sobre todo porque vuestros productos ya cuestan más que la competencia incluso las marcas extranjeras.

Mr Richardson—Ya lo sé, pero son mejores. Los precios mínimos al por mayor tienen que ser del orden de 150 pesetas para los crackers, o sea, las galletas sin azúcar; 220 pesetas para los sandwich; 200 para nuestras galletas tipo María y tostada, todos en paquetes de 200 gramos; y 600 pesetas para surtidos en paquetes de 400 gramos. Consideramos razonable un precio de venta de un 25% por encima del precio al por mayor. ¿Qué te parece?

Sr Laguna —Bueno, de momento me parece aceptable pero claro, hay que tener en cuenta el coste de la publicidad. Si nos limitamos a promociones tales como degustaciones, ofertas especiales etc., está bien, porque eso no nos costará demasiado. Si, en cambio, queremos lanzar una campaña más extensa por radio o televisión, tendremos que revisar toda la cuestión del presupuesto publicitario.

Mr Richardson—Sí, claro, pues hablaremos más de eso cuando sea necesario. Como sabes, somos muy flexibles. ¡Confiamos que con la experiencia que tienes en este campo sacarás el mayor provecho posible de las oportunidades!

Sr Laguna —Yo creo que con un poco de trabajo, las cosas van a salir bien.

Mr Richardson—Si no te importa seguir un poco más, hemos confeccionado un borrador de contrato que podríamos estudiar ahora.

Useful phrases and expressions

no va a haber ninguna pega *there won't be any hitches*
los precios al por menor *retail prices*
el margen *profit margin, mark-up*
una vez firmado un contrato *once a contract has been signed*
lo único que me queda por hacer *the only thing I still have to do*
cuanto más . . . tanto menos *the more . . . the less*
en fin de cuentas *at the end of the day*
menos mal *just as well*
en cambio *on the other hand*
sacar provecho de *to make the most of*

Conteste a las preguntas siguientes

1 ¿Con qué motivo vuelve Mr Richardson a reunirse con el señor Laguna?

2 ¿Por qué piensa usted que han decidido limitarse a las zonas citadas?

3 ¿Qué factores van a determinar la selección del polígono?

4 En su opinión, ¿por qué serán más importantes las subvenciones ofrecidas por Sevilla?

5 ¿Por qué es imprescindible la cuestión de transporte?

6 ¿Qué opina el señor Laguna del coste de transporte?

7 ¿A qué actividades publicitarias van a limitarse? ¿Por qué?

8 ¿Bajo qué circunstancias tendría el señor Laguna que revisar el presupuesto publicitario?

¿Cómo se dice en español?

1 I've been asked to make you an offer.

2 They've given me the go-ahead to launch our products.

3 Apparently there aren't going to be any problems.

4 It won't take us long to get the import licence number.

5 All I have to do now is choose the best offer.

6 Málaga has an impressive communications network.

7 We cannot discount the availability of skilled labour in Seville.

8 The less spent on transport, the greater the profits.

9 We think that a retail price 25% above the wholesale price is reasonable.

10 We shall have to rethink the whole question of the advertising budget.

11 We're confident you'll take full advantage of the opportunities.

12 We've drawn up a draft contract.

Ahora le toca a usted:

In the following dialogue play the role of Mr Richardson.

Sr Laguna —¿Cuáles serán los límites del lanzamiento?

Mr Richardson—*We've decided to limit ourselves to Madrid, Barcelona, the Basque Country and the Costa del Sol.*

Sr Laguna —De cara a nuestro local en el sur, tenemos que decidir entre Málaga y Sevilla.

Mr Richardson—*From our point of view, Málaga would be ideal as it is close to the Costa del Sol and that's where we want to concentrate our efforts.*

Sr Laguna —Sí, pero Sevilla ofrece ciertas ventajas económicas.

Mr Richardson—*At the end of the day, you know which of the locations is the better, so you decide.*

Sr Laguna —De acuerdo. Y el transporte por camión, ¿a cuánto me va a salir?

Mr Richardson—*Our present prices FOB Southampton to Madrid are £1150 per full load and £80 per ton for part loads.*

Sr Laguna —Me parecen caros. A ver si más tarde podemos rebajarlos un poco, sobre todo teniendo en cuenta el precio de las galletas.

Mr Richardson—*But after all, our product is better, and as far as the retail price is concerned, we consider a 25% mark-up reasonable. What do you think?*

Sr Laguna —Parece aceptable siempre que nos limitemos a las promociones en los puntos de venta en vez de una campaña de publicidad propiamente dicha.

Mr Richardson—*Of course. We're very flexible in these matters. If an extensive advertising campaign is necessary, we'll have to review the whole question of prices and mark-up.*

Prácticas

I Practise the verb encargar *with infinitive + indirect object pronoun*

Example: ¿Tu empresa me hace una oferta concreta?
Sí, me han encargado de hacerte una oferta concreta.

—¿Tu empresa me ofrece un contrato?

—¿Tu empresa me concede la exclusiva?

—¿Tu empresa me da un descuento?

—¿Tu empresa me anula el acuerdo?

—¿Tu empresa me retira el derecho de representación?

II Practise una vez *+ past participle + future of* tardar

Example: Firmamos el contrato y conseguimos la licencia de importación.
Una vez firmado el contrato, no tardaremos nada en conseguir la licencia de importación.

—Hacemos el trato — lanzamos el producto.

—Compramos las materias primas — fabricamos las mercancías.

—Hacemos las cuentas — preparamos el presupuesto.

—Alquilamos un local — explotamos el mercado del sur.

—Concretamos los detalles — enviamos las muestras.

III *Practise* lo único que queda + *indirect object pronoun* + por hacer

Example: ¿Qué te queda por hacer? — *Choose between the best offers.*
Lo unico que me queda por hacer es eligir entre las mejores ofertas.

—¿Qué te queda por hacer? — *Obtain the import licence number.*

—¿Qué le queda a usted por hacer? — *Launch an extensive advertising campaign.*

—¿Qué te queda por hacer? — *Draw up a draft contract.*

—¿Qué le queda a usted por hacer? — *Revise the advertising budget.*

—¿Qué te queda por hacer? — *Make you a firm offer.*

IV *Practise* cuanto más/menos . . . tanto más/menos

Example: Cuanto menos se gasta en transporte, tanto más se gana en beneficios.

Translate the following phrases into Spanish:

—The more earned in profits, the more invested in new plant.

—The more paid in dividends, (**dividendos**) the less spent on new technology.

—The more saved on publicity, the more spent on research. (**investigación**)

—The more you buy abroad, the more you threaten (**amenazar**) the internal economy.

—The less you invest today, the more you suffer (**sufrir**) tomorrow.

V *Practise price calculation in Spanish*

Example: El precio al por mayor es 100 pesetas. Hay un margen de un 25%.
El precio de venta al publico es 125 pesetas.

—Precio al por mayor 200 pesetas. Margen 25%.

—Precio al por mayor 150 pesetas. Margen 30%.

—Precio al por mayor 280 pesetas. Margen 40%.

—Precio al por mayor 630 pesetas. Margen 20%.

—Precio al por mayor 480 pesetas. Margen 25%.

Tasks

Task 1

Translate the following telex and letter into Spanish.

89-01-19 15:27
Msg 219 Title :

88/11/17

557792 FOXBAT G
43986 INDROG E

DEAR SIRS

WE HAVE JUST RECEIVED YOUR LETTER DATED 9TH NOVEMBER AND YOUR BROCHURES. WE WOULD LIKE TO RECEIVE SAMPLES OF YOUR PRODUCTS AND YOUR BEST PRICES SO AS TO STUDY THE POSSIBILITY OF IMPORTING SOME OF YOUR BISCUITS.

WE LOOK FORWARD TO HEARING FROM YOU SOON.

YOURS FAITHFULLY

INDUSTRIAS RODRIGUEZ SA

557792 FOXBAT G
43986 INDROG E

Fox's Biscuits
Administration Centre
PO Box 8
Morley
Leeds LS27 7LZ

Tel: 0924 443446
Telex: 36438 FOXBAT G

Mr E Rodriguez
Industrias Rodriguez SA
Reus (Tarragona)
Spain

4th November

Dear Sir

We thank you for your telex and under separate cover we are arranging to forward samples of the Fox's International Range.

The enclosed price list is FOB Sterling from which you may deduct 10% for part loads and 15% for container loads.

Thank you for your continued interest.

Yours sincerely

J Richardson
Export Manager

Task 2

1 Fox's are currently exploring the possibilities of developing other areas of the Spanish market. Their interest in the Valencia region has prompted them to contact Sr Ignacio Vicens of Valmercsa in Gandía.

(i) Draft a letter to the above expressing your interest in his region enclosing catalogue and price-list.

(ii) Ask him to outline any advantage he may have to offer, e.g. information regarding competition, etc.
(iii) Concluded by indicating your willingness to provide any further details as required.

2 Translate into English the following reply from Valmercsa:

Valmercsa
San Francisco de Borja 29 30 B
46700 Gandia (Valencia)

Fox's Biscuits Ltd
PO Box 8
Morley
Leeds
LS27 7LZ

el 2 de diciembre

Muy señores míos:

Acusamos recibo de su carta del 6 de noviembre en la que adjuntó un catálogo de sus galletas así como una lista de precios a la exportación.

Como ya les dijimos estamos convencidos de que les podemos representar en España por dos razones principales. Primera: llevamos muchos años controlando una red de distribuidores por toda España en el campo de los productos azucareros. Segunda: con la apertura del Mercado Común queremos especializarnos en la importación de este tipo de producto. Por estas razónes estamos seguros de que obtendremos unos resultados excelentes.

Antes de todo necesitamos unas muestras para presentarlas a las autoridades sanitarias para conseguir nuestro número de licencia de importación. Tendrán que comprobar que sus etiquetas conformen a las normas sanitarias vigentes para su posterior inscripción en el registro sanitario. Esto exigirá un plazo de 45 días desde presentación de las muestras. Entretanto estudiaremos los precios de la competencia y se los comunicaremos. Sabemos, por ejemplo, que Cadbury's y United Biscuits están ofreciendo actualmente una gama de productos parecida.

Asimismo les rogamos conviertan su oferta FOB en TIR Valencia que es nuestro método preferido.

En conclusión, les señalemos que todas nuestras compras serán garantizadas por un banco prestigioso.

Quedamos a la espera de sus prontas noticias.

Les saluda atentamente

Ignacio Vicens

Task 3

Having received the above letter, telephone Sr Vicens and convey the following:

1 You received his letter; thank him.

2 Say you are interested in their representing you.

3 You've sent him a number of samples for the health authorities as well as the new TIR quotes as requested.

4 Letter to follow with more information.

Task 4

Translate Mr Richardson's reply into Spanish:

Fox's Biscuits
Administration Centre
PO Box 8
Morley
Leeds LS27 7LZ

Tel: 0924 443446
Telex: 36438 FOXBAT G

Ref: RKM/JH

Valmercsa
San Francisco de Borja 29, 3°B
46700 Gandía (Valencia)
Spain

27th January

Dear Sir

We refer to your letter dated 2nd December and apologise for the delay in answering due to other business commitments. We are pleased to advise you, however, that samples of the Fox's "International" range have been forwarded for your evaluation and tests which we are confident will be totally acceptable.

We are enclosing herewith our current FOB UK Port price list for the Fox's "International" range from which you may deduct a discount of 15% for full loads. Additional freight is currently quoted at £800 for 10 tonne loads, £1200 for full loads. We can, of course, prepare a proforma invoice if you so desire.

For your interest, I shall be attending the Alimentaria Food Show in Barcelona from the 4th-9th March and can be found at the Fox's Biscuits Stand in the British Pavilion. If you are planning on visiting the Exhibition, I would be very pleased to welcome you on the Stand to discuss matters in more detail.

I look forward to hearing further from you.

Yours faithfully

J R Richardson
Export Manager

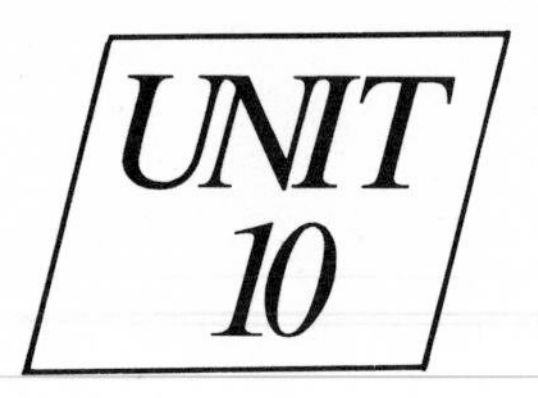

Comentando el contrato

Mr Richardson—Como ves, éste es un precontrato redactado por la dirección de Fox's.
(*Le da una copia al Señor Laguna.*)
No creo que sea muy complicado — esencialmente cubre los asuntos que ya hemos comentado. Si quieres, podemos examinarlo más detenidamente.

Sr Laguna —Sí, de acuerdo.

Mr Richardson—Bueno. El documento consta de diez cláusulas principales que tienes aquí delante. Hay algunos términos más generalizados que se refieren más bien a los objetivos de la colaboración entre nuestras empresas. Te los enviaré más tarde. De todas formas estos son los fundamentales para nuestra eventual acuerdo. Primero está la cuestión de las zonas en donde váis a distribuir nuestros productos. Ya hemos decidido limitarnos en principio a las zonas de mayor población y de alto poder adquisitivo donde tenéis ya una fuerte presencia: Madrid, Cataluña y el País Vasco, además de Málaga y la Costa del Sol donde esperáis montar una oficina en un futuro próximo. ¿No es eso?

Sr Laguna —Sí, efectivamente así es. Ya estamos buscando un local adecuado. El emplazamiento más idóneo parece ser Sevilla. No es la Costa del Sol, ya lo sé, pero las ventajas que se nos ofrecen allí son tan numerosas que nos resulta más rentable establecernos en Sevilla. Por otro lado, no vemos ninguna dificultad para cubrir toda la región desde allí. Incluso podría ser mejor en caso de que quisiéramos ampliar nuestro mercado.

Mr Richardson—Muy bien. Como verás, la segunda parte de la cláusula se refiere precisamente a la posible ampliación de nuestro mercado. La segunda cláusula trata el tema de la exclusividad. Por nuestra parte nos comprometemos a concederos la exclusiva para nuestros productos en el territorio determinado. Vosotros os comprometéis a no distribuir ninguna marca competidora dentro del territorio, ni interferir en su distribución fuera de él, si fuese aplicable.

Sr Laguna —¿Espero que esto no signifique una falta de confianza hacia nosotros?

Mr Richardson—¡En absoluto! Ya sabrás que esto no es más que una mera formalidad obligada en contratos de este tipo. Por nuestro lado, esperamos que dentro de poco tiempo el territorio abarcado por nuestros productos comprenda todo el estado español.

Sr Laguna —Bueno. Así está mejor, sigue.

Mr Richardson—Bien. Tercera cláusula. El intercambio de información. Vosotros nos tenéis que presentar un informe semestral detallando cifras de venta, precios de venta, previsiones para el próximo semestre y situación del mercado en general. Nosotros por nuestra parte, nos comprometemos a facilitaros todos los datos relevantes para fomentar la venta de los productos, así como una ayuda inicial para la promoción de nuestros productos durante los primeros 6 meses.

Sr Laguna —¿Estos informes se presentarán por escrito o nos reuniremos para estudiarlos?

Mr Richardson—Dada la importancia del primer año, creo que sería mejor reunirnos una vez en Inglaterra y otra en España. Así, en caso de que tuviéramos problemas, podríamos solucionarlos más fácilmente. La cuarta cláusula se refiere al control de calidad así como a la caducidad de los productos que, como ya sabes, son aspectos fundamentales en el sector alimenticio.

Sr Laguna —Efectivamente, así es. En fin de cuentas, todo depende de la calidad del producto. Nosotros ya estamos muy experimentados en el almacenaje de este tipo de productos y estoy seguro de que vuestras normas serán parecidas a las de otros fabricantes que ya hemos representado anteriormente.

Mr Richardson—Bueno, sigo. Quinta. La marca será Fox's para todos nuestros productos y nos reservamos el derecho de veto en todo lo referente a la publicidad. Sexta y séptima, las condiciones económicas. Los precios actuales aparecen en el Anexo. En función de vuestras previsiones os comprometereís a comprar una cantidad mínima de nuestros productos y venderlos a un precio pactado. Cualquier revisión posterior se hará por mutuo acuerdo.

Sr Laguna —Mmm . . . me parece muy razonable y muy flexible. Es imprescindible poder reaccionar rápidamente en un mercado cambiante.

Mr Richardson—La octava trata las reclamaciones y los defectos y se explica por sí sola. En cuanto a las condiciones de pago que se detallan en la novena, son las habituales en España. Las aceptamos por ser normales pero nos parece un plazo excesivo.

Sr Laguna —Bueno. En vez de excesivo, yo diría generoso.

Mr Richardson—La décima y última se refiere a la vigencia y terminación del contrato. Nosotros prevemos una larga colaboración entre nuestras respectivas empresas y por eso hemos estipulado un mínimo de 90 días de preaviso. ¿Te parece bien?

Sr Laguna —En principio, sí. De todas formas, tengo que hablar de esto y de las demás cláusulas con nuestro asesor legal. Pero he de decir que el documento me parece muy razonable y de momento, no veo ninguna pega.

Mr Richardson—Estupendo. En ese caso, ¿por qué no vamos a tomar algo para celebrar el fin de las conversaciones y el comienzo de una larga y fructífera colaboración? ¡Te invito!

Useful phrases and expressions

por otro lado *on the other hand*
en función de *according to*
por mutuo acuerdo *by mutual agreement*
en cuanto a *as far as . . . is concerned*
se explica por sí sola *it is self-explanatory*
he de decir que *I must say that . . .*

Conteste a las preguntas siguientes

1 ¿De cuántas cláusulas principales consta el contrato?
2 ¿Qué factores determinaron la selección de las zonas por Fox's?
3 ¿Por qué parece ser Sevilla un buen lugar para montar una oficina?
4 ¿Qué datos tienen que ser incluidos en los informes semestrales que presentan Vendalsa a Fox's?
5 ¿Qué medida tomarán Fox's para ayudar a Vendalsa durante los primeros seis meses?
6 ¿Por qué piensa el Sr Richardson que sería mejor reunirse para estudiar los informes semestrales?
7 ¿Cómo se determinará la cantidad mínima de galletas que compran Vendalsa?
8 Según el Sr Laguna ¿por qué es necesario un acuerdo flexible entre las dos empresas?
9 ¿Qué dice el Sr Richardson sobre las condiciones de pago habituales en España?
10 ¿Por qué han estipulado Fox's un largo plazo de preaviso para la terminación del contrato?
11 ¿Qué tiene que hacer el Sr Laguna antes de firmar el acuerdo?
12 ¿Qué propone el Sr Richardson para celebrar el fin de las conversaciones?

¿Cóme se dice en español?

1 I don't think the contract is very complicated; it covers the areas we've already discussed.
2 Generous incentives are offered to set up offices in Seville.
3 We reserve the right of veto over all aspects of advertising.

4 Any subsequent changes will be made by mutual agreement.

5 It is vital to be able to react quickly in a changing market.

6 The next clause is self-explanatory.

7 We have stipulated a minimum of 90 days notice.

8 I have to discuss this with our legal adviser.

9 At the moment, I don't forsee any problems.

Ahora le toca a usted:

Play the part of Mr Richardson in the following dialogue.

Sr Laguna —Veo que el contrato es relativamente corto.

Mr Richardson—*Yes. It consists of ten main clauses which you have in front of you.*

Sr Laguna —La primera trata las zonas donde vamos a distribuir vuestros productos, ¿verdad?

Mr Richardson—*That's right. We've decided to limit ourselves to Barcelona, Madrid, el País Vasco and Málaga/Costa del Sol.*

Sr Laguna —¿Me podrías explicar por qué?

Mr Richardson—*Because they are the regions with the highest population and purchasing power and you have a strong presence in three of them.*

Sr Laguna —Entonces, ¿tenemos la exclusiva en esas cuatro regiones?

Mr Richardson—*Yes. We agree to grant you exclusivity for our products in the areas mentioned. You agree not to distribute any other brand within that territory.*

Sr Laguna —En la tercera cláusula se hace referencia a informes semestrales. ¿Nos reuniremos para estudiarlos?

Mr Richardson—*Yes. Bearing in mind the importance of the first year, I think it would be best to get together first in England and then in Spain.*

Sr Laguna —¿Qué dice el contrato sobre las condiciones económicas del acuerdo?

Mr Richardson—*Based on your forecasts, you agree to buy a minimum quantity of our products and to sell them at an agreed price.*

Sr Laguna —¿Y si hace falta una revisión?

Mr Richardson—*Any subsequent review will be carried out by mutual agreement.*

Sr Laguna —¿Y las condiciones de pago?

Mr Richardson—*The usual ones in Spain, 90 days. We accept them but they do seem excessive to us.*

Sr Laguna —Muy bien. El documento me parece muy razonable.

Mr Richardson—*In that case, let's go and have a drink to celebrate the end of our talks!*

EL CONTRATO

1.01 El territorio que Fox's asigna a Vendalsa para su actividad comprende las siguientes provincias:

....

(En adelante "territorio")

1.02 El territorio podrá ampliarse o reducirse siempre que ambas partes la acepten de mutuo acuerdo y por escrito.

2.01 Fox's Ltd con domicilio en Batley concede la exclusiva de distribución de su gama de galletas de alta calidad a Vendalsa con domicilio en Madrid. En el Anexo I se relacionan los productos de la gama actual de Fox's disponibles para la distribución y venta.

2.02 Vendalsa se encarga de no vender o distribuir, dentro del territorio, productos que pudieran competir con los productos de Fox's. Asimismo Vendalsa cuidará de que sus representantes o agentes no interfieran con los productos de Fox's en zonas fuera del territorio asignado a Vendalsa.

3. Vendalsa se compromete a facilitar a Fox's un informe semestral sobre las ventas realizadas y en proyecto con el fin de obtener los datos precisos que Fox's y Vendalsa necesiten para el estudio y decisión sobre la evolución del mercado tanto en el territorio como fuera de él.

4.01 Con el fin de garantizar la calidad de los productos de Fox's, Vendalsa se compromete a dejar inspeccionar a Fox's la verificación del control de stocks y a comprobar la forma de almacenaje y rotación de la mercancía.

4.02 Fox's se compromete a dar a Vendalsa las normas de seguridad y caducidad precisas para el más eficaz almacenaje de acuerdo con las posibles exigencias técnicas de los diversos productos.

5. Los productos de Fox's se venderán bajo la marca Fox's Biscuits y en la forma en que se entreguen a Vendalsa. Fox's se reserva el derecho de veto a los textos, emblemas y alusiones de cualquier tipo a incluir en la propaganda, material de oficina, reclamos, etc que se refieran directa o indirectamente a asuntos de Fox's.

cont.

6. Las condiciones económicas serán variables según la realidad de cada momento y a la vista de las circunstancias. El precio de venta de los productos y todo cambio eventual se determinará por mutuo acuerdo de las dos partes.

7, Vendalsa se compromete a comprar a Fox's una cantidad convenida de mercancias. Esta cantidad se establecerá entre ambas partes y toda revisión posterior se determinará mutualmente y de acuerdo con la evolución de las ventas.

8. Vendalsa se compromete a comunicar por escrito a Fox's cualquier reclamación o defecto que se observe en los productos Fox's.

9. Fox's extenderá factura (o facturas en firme) por los suministros mensuales a Vendalsa con un plazo de pago de 90 días fecha.

10.01 El presente convenio entrará en vigor el ....

10.02 El plazo de validez de este convenio es indefinido en el sentido de que ambas empresas no podrán darlo por terminado si no es por incumplimiento de las condiciones citadas o por causa de fuerza mayor. Independientemente de las causas y razones señaladas, si Fox's o Vendalsa, de forma unilateral, quisiera dar por terminado el mismo, deberá avisar con 90 días de antelación por carta certificada.

Prácticas

I Practise use of future tense with lo, la, los, las *[GS 4, 18]*

Example: No me han enviado los precios. Te los enviaré más tarde.

—No me han dado las previsiones.

—No me han mandado el contrato.

—No me han entregado la solicitud.

—No me han concedido la exclusiva.

II Practise no creo que *+ present subjunctive [GS 10]*

Example: ¿Es muy complicado? No creo que sea muy complicado.

—¿Es muy importante?

—¿Tiene muchas cláusulas?

—¿Son muy diferentes?

—¿Hay mucha oposición?

III Practise use of se *+ third person of future tense [GS 4, 8]*

Example: ¿Váis a presentar los informes por escrito?
Sí, se presentarán por escrito.

—¿Váis a enviar los resultados por correo?

—¿Váis a mandar los cheques por carta certificada?

—¿Váis a comunicar la decisión por teléfono?

—¿Váis a mandar las mercancías por avión?

—¿Váis a pagar la factura por transferencia?

IV Practise **parece** *or* **parecen** *with indirect object pronoun* [GS 14, 18]

Example: ¿Qué piensas del contrato? (razonable)
Me parece razonable.
¿Qué pensáis de los productos? (muy buenos)
Nos parecen muy buenos.

—¿Qué piensas de la calidad? (altísima)

—¿Qué piensan los clientes del envase? (llamativo)

—¿Qué pensáis de la campaña de publicidad? (muy mala)

—¿Qué piensa el contable de la cuenta de resultados? (increíble)

—¿Qué piensas del nuevo modelo? (mejor que el anterior)

V Practise use of **sería mejor** *+ infinitive*

Example: ¿Compramos las materias primas en España? (*import them from Italy*)
Sería mejor importarlas de Italia.

—¿Vendemos los productos directamente? (*look for an agent*)

—¿Sacamos ya una licencia de importación? (*wait six months*)

—¿Contratamos a más personal? (*computerise the office*)

—¿Aumentamos las ventas nacionales? (*export to Europe*)

—¿Enviamos las muestras? (*take them by hand*)

VI Practise use of **esperaba que** *+ imperfect subjunctive* [GS 12, 14]

Example: Expero que no signifique una falta de confianza.
Esperaba que no significase una falta de confianza.

—Espero que no sea el fin de la colaboración.

—Espero que no tenga importancia.

—Espero que no termine así.

—Espero que las ventas no vayan mal.

—Espero que el informe esté listo.

Tasks

Task 1

Below is the preamble of the contract between Fox's and Vendalsa. Write a summary in English of the main points.

A la atención del Sr Laguna, Vendalsa, España

Como consecuencia de las conversaciones sostenidas con ustedes, rogamos tengan la amabilidad de firmar la presente carta-convenio, que refleja los puntos base convenidos para que puedan actuar como distribuidores en el territorio especificado más adelante. A continuación exponemos los convenios que hemos mutuamente establecido, basados en lo siguiente:

Principios de la cooperación

Están basados en un propósito bilateral en que cada una de las partes trata de progresar hacia objectivos comunes y predeterminados.

Las partes quedan comprometidas para desarrollar un esfuerzo continuado que tienda a crear, mantener y coordinar tanto las actividades comerciales como las relaciones humanes.

En todos y cada uno de estos terrenos se estimulará el hábito de la cooperación y de la convivencia. Para ella pondrán en juego sus influencias respectivas, sus conocimientos específicos y el deseo de ayudarse para encontrar siempre con razonable criterio y flexibilidad, las soluciones más realistas y oportunas a los problemas y situaciones cambiantes del mercado.

Fin de la cooperación

La cooperación que se establece entre Fox's y Vendalsa tiene la finalidad de distribuir las galletas de Fox's dentro del territorio asignado, respaldándonos en el conveniente servicio técnico y por medio de lós habituales y diversos canales comerciales y profesionales en uso. Esta actuación comercial se hará en todo momento y circumstancia dentro de las normas éticas comerciales, dentro del espíritu de la ley que regula el libre comercio y ajustando dicha actividad y comercio a las normas legales que, ahora o en el futuro, dicten las Autoridades.

Task 2

Draft a letter in Spanish to Sr Laguna enclosing the above preamble. Follow the outline below:

(i) Hope all is going well in preparation for forthcoming launch.

(ii) Enclose preamble to contract, as promised. Self-explanatory and very general.

(iii) Hope it meets with your approval.

(iv) Look forward to hearing from him soon with a progress report.

Alimentaria

Primera llamada

Sr Laguna —Tengo las fechas para la Feria del año que viene — son del 4 al 9 de marzo. Estamos un poco cortos de tiempo pero creo que será posible organizarnos para entonces, ¿qué te parece?

Mr Richardson—Espero que sí, ya que es una ocasión única para aumentar la presencia de Fox's en España y al mismo tiempo presentar a los clientes nuestra nueva colaboración en exclusiva.

Sr Laguna —¡Claro! Es la segunda Feria más importante del mundo. Hoy mismo voy a ponerme en contacto con una amiga mía que está encargada del sector 'Mundidulce' en Alimentaria. A ver si se pueden acelerar un poco los trámites. . .

Mr Richardson—Bien, eso sería estupendo. ¿Quieres que te ayudemos nosotros?

Sr Laguna —No, no creo que sea necesario. Lo importante es que estés tú y que tengamos una buena gama de productos en la Feria. En cuanto a la presentación, no te preocupes. Mi equipo es muy experimentado y saben como conseguir el máximo resultado en asuntos de este tipo. Estoy seguro que con los envases tan atractivos que tenemos, las latas de obsequio etc., lograremos montar algo impactante.

Mr Richardson—¡Fenomenal! Y. . .¿Qué pasa con el material publicitario?

Sr Laguna —Ya está en manos de nuestra agencia — lo están preparando ahora mismo.

Mr Richardson—Perfecto. Pero en caso de que os falte algo, házmelo saber. Es imprescindible que nuestra primera feria vaya bien.

Sr Laguna —¡No te preocupes! ¡Quieres que te envíe una copia de la documentación?

Mr Richardson—Sí, por favor.

Useful phrases and expressions

estar corto de tiempo *to be short of time*
acelerar un poco los trámites *to cut through the red tape, to hurry things up a bit*
lograremos montar algo impactante *we'll manage to put on something striking*
estar en manos de *to be in the hands of*
en caso de que os falte algo . . . *should you/if you need anything . . .*

Segunda llamada: La reserva de un stand

El Señor Laguna llama a la señorita Angela Puig, encargada del sector 'Mundidulce' de Alimentaria, Barcelona.

Srta Puig —Dígame.

Sr Laguna—Hola Angela, soy Pedro Laguna.

Srta Puig —¡Hombre! ¿Qué tal estás? ¡Hace tiempo que no sé nada de tí!

Sr Laguna—Sí. Siento mucho no haberte llamado antes, pero he tenido mucho trabajo y ya sabes como es ¿no?

Srta Puig —Sí, lo mismo pasa aquí. Bien, díme. ¿En qué te puedo ayudar?

Sr Laguna—Mira. Sé que ya ha pasado el plazo para la recepción de solicitudes, pero ¿me puedes decir si quedan stands en el sector Mundidulce de la Feria que organizáis para marzo?

Srta Puig —¡Ojalá, me hubieras llamado antes! Hubiéramos podido ubicaros en un buen sitio pero desgraciadamente los mejores stands han sido reservados ya. Déjame ver un poco, mmmm. . Sí, creo que te puedo ayudar, pero, díme, ¿qué productos queréis presentar?

Sr Laguna—Son galletas. Resulta que desde hace tres meses represento a una compañía británica llamada Fox's. Acabamos de firmar el contrato y es por eso que llamo tan tarde. ¿Has oído hablar de ellos?

Srta Puig —Sí, me suena. ¡Creo que he comido las galletas en Inglaterra! Mira, te voy a enviar en seguida toda la documentación pero tendrás que rellenar los formularios lo antes posible porque ya se está haciendo muy tarde. Verás que las galletas, la bollería, la pastelería etc. van todas juntas en la misma planta. Ya sabes todo lo que ofrecemos en cuanto a servicios ¿no? — alojamiento y comidas para el personal, servicios para atender a los invitados, apoyos técnicos. . . Claro, haré todo lo posible para ubicaros bien pero no te prometo nada.

Sr Laguna—Bueno, tú haz lo que puedas. Y díme, ¿cómo son los stands — de cuántos metros cuadrados podremos disponer?

Srta Puig —La superficie mínima es de 9 metros cuadrados, pero si os hiciera falta más espacio, comunícamelo lo antes posible.

Sr Laguna—Vale. ¿Y el depósito sigue siendo un 15% del importe total o lo habéis subido?

Srta Puig —No, no, sigue siendo el 15%, igual que el año pasado. Pero no olvides que el pago tiene que efectuarse en un plazo de 30 días una vez confirmada la reserva. Me tienes que decir también a cuántos representantes vas a mandar para que yo pueda organizar las invitaciones y los pases. Si prefieres que me encargue del alojamiento, llámame cuanto antes porque todos los hoteles van a estar a tope por esas fechas.

Sr Laguna—Muy bien. Te agradezco mucho tu ayuda. A ver si tenemos tiempo de tomar una copa cuando empiece la Feria. . . .

Srta Puig —¡Buena idea! Y ten por seguro que pasaré por vuestro stand para degustar unas galletas. . .

Sr Laguna—Con mucho gusto. ¡Serás bienvenida en cualquier momento! Entonces, hasta pronto y de nuevo, muchas gracias.

Srta Puig —De nada. No dudes en llamarme si surge algún problema. Hasta pronto.

Useful phrases and expressions

hace tiempo que no sé nada de tí *it's a long time since I heard from you/I haven't heard from you for a long time*
siento much no haberte llamado antes *I am very sorry I've not rung you before*
¡Ojalá, me hubieras llamado antes! *Oh! if only you'd rung me earlier*
lo antes possible *as soon as possible*
alojamiento y comidas *board and lodging*
se está haciendo tarde *it's getting late*
todo lo posible *everything possible, everything I can*
estar a tope *to be full up*
ten por seguro que *be sure that, rest assured that*
no dudes en llamarme *don't hesitate to call me*

En la feria

Un señor pasa por delante del stand de Fox's tomando nota de todo lo que hay. Se acerca y empieza a hablar.

Sr Echeverría —Buenos días. Me interesa mucho lo que tienen aquí. ¿Le importaría que charláramos un ratito?

Mr Richardson—Por supuesto que no, para eso estoy aquí.

Sr Echeverría —Bueno. Mi nombre es Joaquín Echeverría, de la empresa Mantequerías Donostiarras. No sé si habrá usted oído hablar de mi empresa. Es una pequeña cadena de tiendas de ultramarinos. Vendemos productos alimenticios de alta calidad, tanto españoles como extranjeros. Yo soy el encargado de buscar nuevos productos. (Presenta su tarjeta al Sr Richardson). Intentamos ofrecer una gama variada de artículos un poco distinta de lo que se suele encontrar en los grandes almacenes.

Mr Richardson—Pues la verdad es que tu compañía no me suena.

Sr Echeverría —No me extraña. Es que somos muy conocidos en el País Vasco y en el norte de España, pero mucho menos aquí en Barcelona y en Madrid, desgraciadamente. Bueno, el caso es que tenemos un gran interés en sus productos porque, como ya le decía, queremos ampliar toda nuestra gama de galletas y también buscar nuevos suministradores.

Mr Richardson—¿Entonces ustedes ya venden galletas de este tipo?

Sr Echeverría —Sí. Desde que empezamos sólo vendemos marcas de galletas francesas y danesas y la falta de una marca británica es algo que nos preocupa, dada la buena reputación de que gozan. Además, sus productos son conocidos por su calidad y su variedad y tienen una pinta francamente buena. (*Prueba unas galletas*) Mmmm, ¡y el sabor es riquísimo!

Mr Richardson—Pues sí. Como ve, todas nuestras galletas están hechas según recetas tradicionales — los ingredientes son naturales y no usamos ningún tipo de grasa animal. Actualmente tenemos elaborados más de 70 productos distintos. ¡Así que hay para todos los gustos!

Sr Echeverría —¿Y dígame, ¿son muchos los países a los que exportan?

Mr Richardson—¡Ya lo creo! A más de 40.

Sr Echeverría —Me han dicho que sus fábricas están ubicadas en el norte de Inglaterra, ¿no?

Mr Richardson—Sí, en el Yorkshire, precisamente.

Sr Echeverría —Mmm. ¿Exportan a España directamente?

Mr Richardson—No, no. Comercializamos nuestros productos en España por medio de una empresa que se llama Vendalsa. Ya no exportamos directamente.

Sr Echeverría —¡Qué lástima! Es que siempre sale más costoso por medio de un agente y lógicamente, el precio de venta al público aumenta.

Mr Richardson—¡No lo crea! Nosotros opinamos que ésta es la mejor manera de trabajar en España de cara al cliente y le puedo asegurar que nuestros precios son muy interesantes. Además, ofrecemos óptimas condiciones de pago. (*Le da la tarifa actual.*) Como ve usted, nuestros precios CIF son muy competitivos.

Sr Echeverría —Ya. Pero estando tan alta la libra actualmente, no sé si nos compensaría vender sus productos. Aunque, mirándolo bien, los precios son muy atractivos dada su calidad. Si hubiéramos podido comprar directamente de su fábrica, nos habría resultado más rentable.

Mr Richardson—Bueno, también tenemos un sistema de descuentos al por mayor que les pueda interesar.

Sr Echeverría —¿Podría facilitarme la documentación? Me pondré en contacto con su agente para que hablemos más a fondo de los precios, etc. Si todo va bien, estoy seguro de que dentro de poco estaremos en condiciones de hacerle un pedido de prueba.

Useful phrases and expressions

le importaría que . . + *subj.* *Would you mind if. . .*
dada la buena reputación de que gozan *Given the good reputation they have/enjoy*
tienen una pinta francamente buena *they look really good*
estando tan alta la libra actualmente *the £ being so high at present*
dentro de poco *in a short time*
estaremos en condiciones de. . . *we will be in a position to. . .*

Conteste a las preguntas siguientes

Primera llamada

1 ¿Por qué es importante que las empresas como Fox's participen en la Feria?

2 ¿Cómo puede ayudar la amiga del Sr Laguna?

3 Según el Sr Laguna, ¿cuáles son los elementos imprescindibles para el éxito de la Feria?

Segunda llamada

1 ¿Por qué le podría resultar difícil al señor Laguna conseguir un stand en la Feria?

2 ¿Qué servicios se ofrecen a los participantes en la Feria?

3 ¿Qué condiciones económicas se tienen que cumplir para participar en la Feria?

4 ¿Por qué está dispuesta la señorita Puig a ayudar con el alojamiento?

En la feria

1 ¿Qué tipo de empresa representa el señor Echeverría?

2 ¿De qué está encargado el señor Echeverría?

3 ¿Qué es lo que distingue Mantequerías Donostiarras de otras cadenas de tiendas?

4 ¿Por qué quieren incluir un producto británico en la gama de galletas que venden?

5 ¿Por qué hubiera preferido el señor Echeverría importar directamenta desde Inglaterra?

6 ¿Cómo se concluye la charla?

¿Como se dice en español?

Primera llamada

1 We're a bit short of time.

2 Let's see if we can hurry things up a bit.

3 It's important that you should be there.

4 If you need anything, let me know.

Segunda llamada

1 I haven't heard from you for a long time.

2 The deadline for applications has passed.

3 If only you'd phoned earlier.

4 I'll do everything I can to find you a good place.

5 Payment must be made within 30 days.

En la feria

1 As I was telling you, we want to increase our range.

2 The lack of a British brand worries us given their reputation.

3 We've developed more than 70 different lines.

4 As the pound is so high at present, I don't know if it would be worth our while to stock your products.

5 If we had been able to buy direct, it would have been more viable.

Ahora le toca a usted:

Play the part of Mr Richardson in the following dialogue.

Sr Laguna —Las fechas para la Feria son del 4 al 9 de marzo. Creo que será posible organizarnos para entonces.

Mr Richardson—*I hope so, because it's a unique opportunity to make ourselves known in Spain and to publicise our joint venture. Do you want us to help?*

Sr Laguna —No, no creo que sea necesario. Tenemos un equipo muy experimentado.

Mr Richardson—*Excellent. Well, if you need anything, let me know.*

En la Feria:

Play the part of Mr Richardson in the following dialogue:

Sr Echeverría —Soy Joaquín Echeverría. Represento una pequeña cadena de tiendas de ultramarinos que se llama Mantequerías Donostiarras. A lo mejor, no las conoce, pero ¿le importaría que charláramos?

Mr Richardson—*The name doesn't mean anything to me but of course, I'm happy to have a chat. That's what I'm here for! So you sell biscuits, do you?*

Sr Echeverría —Sí, vendemos galletas importadas y las suyas parecen satisfacer todos nuestros requisítos en lo tocante a calidad y variedad.

Mr Richardson—*Well certainly, our products are all manufactured according to traditional recipes and we don't use any animal fats. What's more, we offer more than 70 different biscuits so there's something to please everyone!*

Sr Echeverría —¿Ustedes exportan directamente a España?

Mr Richardson—*No, we're represented by a company called Vendalsa. We think this is the best way to do business in Spain.*

Sr Echeverría —¿No suele salir más costoso trabajar por medio de un agente?

Mr Richardson—*Not necessarily. We offer good prices and terms and there are discounts for large quantities.*

Prácticas

I Practise use of* ojalá *and pluperfect subjunctive *[GS 14]*

Example: ¿Por qué no me llamaste antes?
Ojalá me hubieras llamado antes.

—¿Por qué no volvió usted antes?

—¿Por qué no fuiste antes?

—¿Por qué no vinieron antes?

—¿Por qué no lo supe antes?

—¿Por qué no me lo dijiste antes?

II Practise use of **llevar** *with present participle* *[GS 1]*

Example: Represento a una compañía británica desde hace 3 meses.
Llevo 3 meses representando a una compañía británica.

—Colaboro con una empresa noruega desde hace un año.

—Investiga el mercado español desde hace 6 meses.

—Aprovechan el tipo de cambio desde hace 4 semanas.

—Registra pérdidas desde hace 2 años.

—Reclaman aumentos salariales desde hace meses.

III Practise 3rd person of **tener que** *with infinitive* + **se**

Example: Efectuamos el pago en un plazo de 30 días.
Sí, el pago tiene que efectuarse en un plazo de 30 días.
Comprobamos las cifras de ventas antes de tomar una decisión.
Sí, las cifras de ventas tienen que comprobarse antes de tomar una decisión.

—Presentamos el cheque antes del fin del mes.

—Diseñamos el envase antes de las pruebas finales.

—Investigamos el mercado antes de lanzar el producto.

—Desarrollamos los productos antes de investigar el mercado.

—Compramos las acciones antes de negociar con el competidor.

—Calculamos el riesgo antes de comprar las acciones.

IV Practise **una vez** + *past participle + future tense* *[GS 4]*

Example: Hemos confirmado la reserva. (hacer los preparativos)
Una vez confirmada la reserva haremos los preparativos.
Hemos hecho los preparativos. (planificar el viaje)
Una vez hechos los preparativos, planificaremos el viaje.

—Hemos planificado el viaje. (llamar a los clientes).

—Hemos abierto la cuenta. (ingresar el dinero).

—Hemos realizado las encuestas. (buscar un distribuidor).

—Hemos creado la demanda. (vender los productos).

—Hemos cumplido los objetivos iniciales. (expansionar).

V Practise changing familiar imperative into negative *[GS 15]*

Example: Hazlo así. No lo hagas así.

—Traémela.

—Envíalos.

—Cuéntamelo.

—Enséñamela.

—Explícamelas.

—Pídelo.

VI Practise use of present subjunctive with future indicative *[GS 14]*

Example: We'll have a drink when the Trade Fair starts.
Tomaremos una copa cuando empiece la Feria.

Put the following sentences into Spanish:

—We'll write the report when we have all the information.

—The opportunities will arise as soon as there is a single market.

—When the new product is launched, our market share will increase.

—As soon as the number of participants is known, their accommodation will be booked.

Tasks

Task 1

Write a letter to the organisers of Alimentaria requesting an application form to take part in the next Food Fair in Barcelona. In your letter you should:

1 give the name of your company and its main activity in the food sector;

2 state the services you are interested in, including the size of stand you would like;

3 indicate how many representatives your company intends to send;

4 ask about the possibility of booking hotels through the Fair organisers;

5 mention that you would like more information on the Fair's advertising campaign and also the possibility of inserting ads in the catalogue.

Task 2

Having received the Trade Fair information you are now finalising the arrangements by telephone. Ring Angela Puig and:

1 say you're ringing from Fox's;

2 give details of the party to attend the Trade Fairs:

3 ask her to book the requisite number of rooms in a suitable hotel;

4 enquire about storage facilities for the samples you are sending on ahead;

5 ask about passes for guests;

6 check the details of the stand;

7 say the deposit has been sent;

8 ask her to confirm the above by telex.

Task 3

Act as interpreter in the following conversation between a British journalist and Luis María Sastre, President of Alimentaria.

Journalist—*What are the main caracteristics of this, the seventh Food Fair?*

LMS —La principal característica es la participación de empresas nacionales e internacionales – cada sector de producción, los vinos, los productos cárnicos y la pastelería, tendrá su propio salón.

Journalist—*The importance of the Fair to the Spanish food industry is obvious, but what about the international dimension?*

LMS —Es de destacar la fuerte participación de los países comunitarios — países como Francia con 200 empresas, la RFA con 100, Irlanda, Dinamarca, los Países Bajos, Italia, Bélgica, Gran Bretaña realizan durante la Feria múltiples actividades de promoción.

Journalist—*So firms in these countries see it mainly as a platform for promotion within the Spanish market?*

LMS —Sí, para ellas, es el punto de partida idóneo para cualquier intento de penetración en el mercado español e incluso, para el análisis del mercado potencial español y de la industria alimentaria nacional.

Journalist—*What other features of this year's Alimentaria would you highlight?*

LMS —Básicamente la mejora de los servicios a los expositores y visitantes. Yo diría que la carpeta de servicios de Alimentaria es la más completa que se puede encontrar en una feria.

Useful phrases and expressions

las industrias alimentarias españolas *the Spanish food industry*
el ámbito internacional *international dimension*
el punto de partida idóneo *suitable point of departure/platform*
destacar *to stand out, highlight*

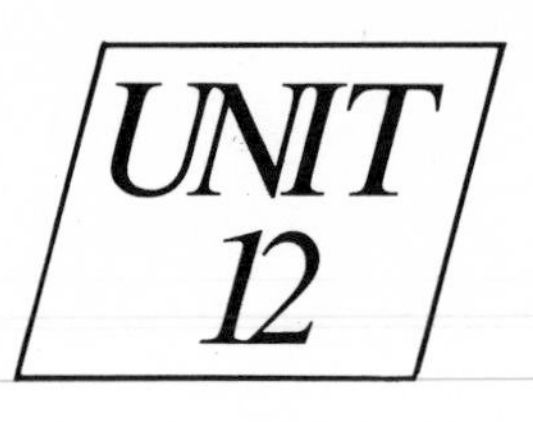

Análisis del año

Unos 9 meses después de firmar el contrato los señores Richardson y Laguna se reunen en la sede social de Fox's en Yorkshire para evaluar la colaboración entre sus dos empresas.

Mr Richardson—¡Bienvenido a Batley! Estoy muy contento de verte aquí. ¿Espero que hayas tenido buen viaje?

Sr Laguna —Sí, todo ha ido muy bien. Yo también estoy contento de volver a verte.

Mr Richardson—Bien. Lo que tenía pensado para tu agenda de visita es lo siguiente: primero, si no te importa, estarás un par de horas conmigo para que comentemos juntos el informe que me enviaste hace poco. Creo que hace falta que aclaremos algunos asuntos de cara al futuro. Después, he quedado a las once con el jefe de producción. El te enseñará la fábrica.

Sr Laguna —Bueno, de acuerdo. Yo también quisiera plantear algunas cuestiones y ¡será muy útil ver la elaboración de los productos que estamos vendiendo!

Mr Richardson—Después de comer, nos reuniremos con mis compañeros en el departamento de marketing ya que quieren darte una pequeña charla para presentarte nuestra última campaña de publicidad que, por cierto, ha tenido un gran éxito.

Sr Laguna —Eso sí que podría ser interesante ya que uno de los temas que quiero abordar es él de la promoción.

Mr Richardson—Antes de empezar, ¿te apetece un café o ya que estás en Inglaterra, prefieres un té?

Sr Laguna —Un café, por favor. ¡Sólo suelo tomar el té cuando no me encuentro bien!

Mr Richardson—Aquí el té se bebe a todas las horas . . . muy bien, vamos a ver. . . (*Abre una copia del informe escrito por el Sr Laguna*) Por lo visto, habéis alcanzado más o menos el volumen de ventas previsto.

Sr Laguna —Sí, eso es cierto, pero si miras las cifras con más detalle, verás que eso se debe más que nada a las ventas realizadas en las zonas turísticas. Por desgracia no hemos tenido el impacto que hubiéramos deseado con los españoles y es precisamente eso lo que tenemos que rectificar.

Mr Richardson—(*leyendo el informe*) Es cierto. Y en tu opinión, ¿cuáles pueden ser las razones?

Sr Laguna —Bueno, yo creo que se han dado un par de circunstancias determinantes. En primer lugar, comparados con otros productos parecidos, los nuestros son bastante caros y la tendencia actual del mercado es que los precios de las galletas importadas vayan bajando debido al desmantelamiento arancelario. Segundo, las empresas galleteras nacionales se han dado recientemente un lavado de imagen, ya me entiendes ¿no?, y podrían representar una amenaza de cara al futuro.

Mr Richardson—Pero ¿me imagino que estos problemas se pueden solucionar sin cambiar demasiado la estrategia?

Sr Laguna —Espero que sí. En mi opinión tenemos que tomar una decisión fundamental en lo referente a los tipos de productos que queremos vender. De momento, nuestra gama es casi la más cara del mercado galletero y, teniendo en cuenta lo que acabo de decir, vamos a vernos obligados a introducir nuevos productos a precios más asequibles y al mismo tiempo promocionar más la imagen de lujo de los ya existentes.

Mr Richardson—¿Y cómo repercutiría ésto en los precios?

Sr Laguna —Claro, lo que te estoy pidiendo es una revisión a la baja de algunos de los precios. Si no, vamos a correr el riesgo de perder el terreno que hemos ganado.

Mr Richardson—Pero fijamos esos precios hace poco y, como te dije, son los mínimos que requerimos nosotros.

Sr Laguna —Bueno, no es tan grave. Me explico. Las ventas en las zonas turísticas han sobrepasado todas las previsiones y un ligero aumento de los precios sería aceptable. Eso nos permitiría bajar un poco los precios en las otras zonas y así las cifras de venta globales no se verían excesivamente perjudicadas.

Mr Richardson—A ver si te entiendo bien. Lo que me sugieres es que mantengamos la estrategia actual en el sur, con un ligero aumento de los precios. En las otras regiones, sin embargo, quieres que demos un empuje a la imagen de calidad por medio de una campaña publicitaria más agresiva y al mismo tiempo, que extendamos la gama para incluir algunos de nuestros productos menos costosos. ¿No es así?

Sr Laguna —Sí, eso es. ¿Qué te parece?

Mr Richardson—Mmm, bueno, no sería imposible y claro, desde el punto de vista de producción, no habrá ningún problema ya que no supondría un coste adicional excesivo. Ya comercializamos productos de este tipo para otros mercados.

Sr Laguna —Yo creo que de momento es la mejor forma de alcanzar nuestro objetivo.

Mr Richardson—Bueno, entenderás que no te puedo dar una respuesta definitiva ahora mismo, pero yo creo que es una idea que por cierto, tiene su mérito. En cuanto a la publicidad, ¿qué es lo que tienes en mente?

Sr Laguna —Me he dado cuenta de que para tener un verdadero éxito en el mercado estrictamente español, donde los productos son menos conocidos, el merchandising y la promoción en los puntos de venta son insuficientes. Por eso, propongo un empujón promocional que abarque no sólo la prensa escrita, sino también la radio local.

Mr Richardson—¿Y estás seguro de que ésto sea factible dado el presupuesto que tienes?

Sr Laguna —Yo creo que sí. Hemos hecho unos cálculos preliminares y sí que parece factible.

Mr Richardson—Muy bien. Te elegimos por tu conocimiento del mercado español y ¡dependemos de tí para asegurar la buena marcha de los productos de Fox's en España! ¡Ahora te invito a tomar algo y brindaremos por el éxito de nuestra colaboración!

Useful phrases and expressions

de cara al futuro *with the future in mind*
he quedado con *I've arranged to meet*
se debe más que nada a *It's due above all to*
en lo referente a *regarding*
verse obligado a *to be obliged to*
una revisión a la baja de los precios *a lowering of prices*
por medio de *by means of*
tener en mente *to have in mind*
no sólo. . .sino también *not only . . .but also*
tanto. . .como. . . *both. . .and. . .*

Conteste a las preguntas siguientes

1 Describa el horario que ha preparado Mr Richardson para la visita del Sr Laguna.

2 ¿Por qué muestra interés en la presentación del departamento de marketing?

3 Compare las ventas en las zonas turísticas con las de las otras regiones.

4 ¿A qué se debe la tendencia a la baja de los precios de las galletas importadas?

5 ¿Por qué representan las empresas nacionales una amenaza a Fox's?

6 Según el Sr Laguna, ¿cuál es la solución al problema de la competencia?

7 Por qué sería factible un ligero aumento de precios en el sur y qué les permitiría hacer en las otras zonas?

8 ¿Por qué son insuficientes el merchandising y la promoción en los puntos de venta?

9 ¿Qué propone el Sr Laguna para rectificar la situación?

10 ¿Por qué está convencido el Sr Laguna de la factibilidad de la propuesta?

¿Cómo se dice en español?

1 Looking to the future, there are a number of matters we must clarify.

2 I've arranged to meet the production manager at 11 o'clock.

3 One of the topics I'd like to deal with is promotion.

4 You've more or less achieved the expected sales figures.

5 We haven't had the impact we would have liked.

6 There is currently a downward trend in the price of imported biscuits.

7 Domestic companies could represent a threat in the future.

8 We'll be obliged to introduce new products at more affordable prices.

9 We run the risk of losing the ground we've gained.

10 Sales have exceeded all expectations.

11 We'll stress the quality image.

12 It wouldn't involve any additional cost.

13 It includes not only press but also local radio.

14 Is it feasible, given your budget?

Ahora le toca a usted:

Play the role of Mr Richardson in the following dialogue:

Mr Richardson—*There are a number of areas we have to clarify so what I have planned is for you to spend a couple of hours with me, then have a meeting with the production manager.*

Sr Laguna —Bueno, de acuerdo, será muy útil ver la elaboración de los productos que vendo.

Mr Richardson—*It looks as though you've managed to achieve the targeted sales figures?*

Sr Laguna —Sí, pero ésto se debe más que nada a las ventas en las zonas turísticas. No hemos tenido el impacto deseado en el mercado español.

Mr Richardson—*Can this be remedied without changing our strategy too much?*

Sr Laguna —Espero que sí, con la introducción de unos productos a precios más asequibles y una promoción más fuerte de los productos actuales.

Mr Richardson—*It's possible. Production wouldn't pose too many problems. As we already manufacture a cheaper range, there would be very little extra cost. What about advertising?*

Sr Laguna —El merchandising y promoción en los puntos de venta son insuficientes. Por eso, propongo un empujón en la prensa y la radio local.

Mr Richardson—*Well, we're depending on you to make sure things go well in Spain. Let's drink to our success!*

Prácticas

I Practise use of lo + *adjective* *[GS 17]*

Translate the following phrases into Spanish.

—What we have planned is **the following**.

—**The most important thing** is to adapt our strategy to the needs of the market.

—**The interesting thing** is that our products have sold well in the tourist areas.

—**The essential thing** is that we lower our prices in order to compete better.

—In your report we must distinguish between **the positive** and **the negative**.

II Practise use of pluperfect subjunctive *[GS 13]*

Example: No hemos tenido el impacto que hubiéramos esperado.

Translate the following phrases into Spanish:

—We haven't achieved the sales **that we would have hoped for.**

—Nobody knows the impact that **they would have had**.

—Those are the products that **we would have marketed**.

—That is the solution that **I would have preferred**.

—We don't know what type of promotion **they would have liked**.

III Practise use of tan *+ adjective +* como *+ imperfect tense:*

Example: situación — grave — pensar
La situación no es tan grave como usted pensaba.

—Perspectiva — mala — imaginarse.

—Ventas — decepcionantes — prever.

—Merchandising — acertado — esperar.

—Costes — elevados — sospechar.

—Plan — factible — indicar.

IV *Practise use of perfect tense of* darse cuenta de que [GS 7]

Example: yo . . . . el merchandising . . . . no suficiente.
Me he dado cuenta de que el merchandising no es suficiente.

—Yo . . . . la promoción . . . . tener dos objetivos.

—Nosotros . . . . los precios . . . . excesivos.

—Ellos . . . . los aranceles . . . . no beneficiosos.

—La empresa . . . . la amenaza . . . . venir de los productores nactionales.

—Tú . . . . mis margenes . . . . no permitir más publicidad.

V *Practise past tenses* [GS 2, 3, 6]

Render the following in Spanish:
As a result of the Batley meeting, Fox's decided to follow Sr Laguna's recommendations regarding prices. Vendalsa were given the go-ahead to increase prices in those areas where biscuits had sold well and to reduce prices and extend the range in places where sales were slower. This enabled Vendalsa to spend more on advertising the products. Local radio and women's magazines were chosen as the most suitable and cost-effective vehicles for promoting the biscuits. After a few months it became apparent that not only were sales levels in the tourist areas being maintained, but that a considerable impact had been made in those areas which hitherto had been giving cause for concern. Vendalsa's recommendations had thus proved to be invaluable and had led to an increase in market share for Fox's biscuits in Spain.

Tasks

Task 1

Write a report of about 200 words based on Sr Laguna's findings as they appear in the Dialogue according to the following outline:

(i) Introduction — current situation
(ii) Sales by region
(iii) Problems
(iv) Recommendations
(v) Conclusions

Task 2

Fox's have decided to invite their European distributors to a weekend conference in Lloret to discuss the situation to date and future strategy.

You are required to book the hotel and prepare a draft programme. You have identified the Gran Hotel Monterrey as a suitable venue and you proceed as follows:

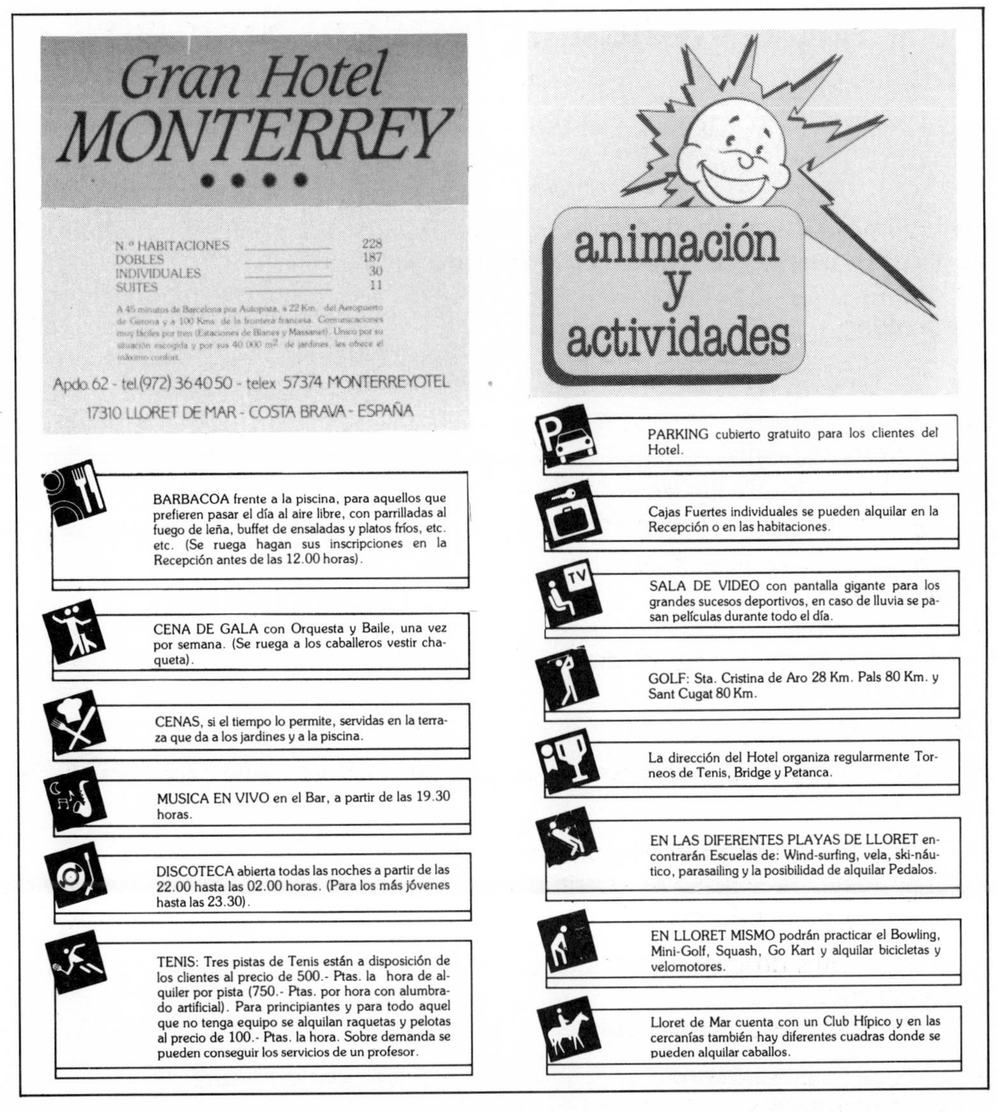

A 1 Ring up the hotel and enquire about conference facilities for your party, outlining your particular requirements (e.g. dates, numbers, seminar rooms, telex, audio-visual facilities, etc.)

2 Enquire about eating arrangements (e.g. you would like to include a formal welcome dinner on the first evening) and leisure facilities.

B 1 Having established that the hotel can accept your party, write a letter to confirm the details agreed by telephone.

2 Prepare a draft programme in Spanish to be sent to Vendalsa. As assistant export manager, you have to decide what items should be included for discussion, both in plenary sessions and in seminar groups; e.g. new product development, marketing, competition, etc.

The commercial letter in Spanish

The commercial letter in Spanish consists of 3 parts: the greeting (**el saludo**), the main text (**el cuerpo**) and the conclusion (**la despedida**).

The greeting

The following are commonly used:

(*a*) *to one person*
—Muy Sr mío/Sra mía:
—Muy Sr nuestro/Sra nuestra:
—Estimado Sr. . . :/Estimada Sra. . .:

(*b*) *to a firm or organisation*
—Muy Sres nuestros:
—Muy Sres míos:
—Estimados Sres. . . :/Estimadas Sras. . . :

The main text

This normally includes a number of standard expressions, some examples of which are given below.

(*a*) **Phrases initiating correspondence:**

—Tengo/tenemos el gusto de informarles —Me/nos es grato informarles	—*We are pleased to inform you that . . .*
—Me dirijo/nos dirigimos a ustedes para comunicarles . . . —Le/les escribo/escribimos para . . .	—*We are writing to let you know that*
—Le/les enviamos adjunto —Le/les adjuntamos . . .	—*We are enclosing*

(*b*) **Phrases used where contact has already been established**

—Acuso/acusamos recibo de su atenta carta —Obra en mi/nuestro poder su atenta carta —Le/les agradezco/agradecemos su atenta carta	—*Thank you for your kind letter*
—En contestación a su carta del 18 de julio	—*In reply to your letter of July 18*
—Como continuación a nuestra carta del 18 de julio	—*Following our letter of July 18*

(*c*) **Phrases of general use**

—Le/les agradecería/agradeceríamos nos confirmara/confirmaran . .	—*We would be grateful if you would confirm*
—Sírvanse confirmar a su más pronta conveniencia	—*Kindly confirm at your earliest convenience . .*
—Le/les ruego/rogamos nos indiquen/ hagan saber	—*Please let us know*

(*d*) **Phrases expressing regret**

—Lamento/lamentamos; siento/sentimos mucho que no estén satisfechos con el último envío	—*We are sorry you are unhappy with the latest delivery*
—Siento/sentimos —Lamento/lamentamos tener que comunicarle	—*I/we are sorry to have to tell you. . .*

The conclusion

—Le/les saluda/saludan atentamente	—*Yours faithfully* —*Yours sincerely*
—En espera de sus prontas noticias	—*Looking forward to hearing from you soon*
—Aprovecho/aprovechamos la ocasión para saludarle/les cordialmente	—*I/we take this opportunity to send our best wishes*
—Agradeciéndole/les de antemano, le/les saluda/saludan, etc.	—*Thanking you in advance, Yours, etc.*

Grammar section

1. Present tense

Regular verbs ending in:

	-ar	**-er**	**-ir**
yo	habl/o	vend/o	viv/o
tú	habl/as	vend/es	viv/es
él, ella, Vd.	habl/a	vend/e	viv/e
nosotros, -as	habl/amos	vend/emos	viv/imos
vosotros, -as	habl/áis	vend/éis	viv/ís
ellos, ellas, Vds.	habl/an	vend/en	viv/en

Verbs with change of stressed stem vowel:

e to ie	despertar, empezar, pensar, atender, querer, preferir
o to ue	encontrar, volar, llover, poder, volver, dormir
e to i	pedir, seguir, servir

Verbs with irregular 1st person singular:

dar	**doy**, das, da, damos, dais, dan
conocer	**conozco**, conoces, conoce, conocemos, conocéis, conocen
saber	**sé**, sabes, sabe, sabemos, sabéis, saben
ver	**veo**, ves, ve, vemos, veis, ven
hacer	**hago**, haces, hace, hacemos, hacéis, hacen
poner	**pongo**, pones, pone, ponemos, ponéis, ponen
traer	**traigo**, traes, trae, traemos, traéis, traen
salir	**salgo**, sales, sale, salimos, salís, salen

Verbs with vowel change *and* irregular 1st person singular:

tener	**tengo**, t**ie**nes, tiene, tenemos, tenéis, tienen
venir	**vengo**, v**ie**nes, viene, venimos, venís, vienen
decir	**digo**, d**i**ces, dice, decimos, decís, dicen

Irregular verbs:

estar	estoy, estás, está, estamos, estáis, están
ser	soy, eres, es, somos, sois, son
ir	voy, vas, va, vamos, vais, van

Continuous present:

The present tense of **estar** + present participle,
e.g. 'estoy hablando, está comiendo, estamos viviendo' is used as in the English: 'I am talking, I am eating,' etc.

Notes:

(i) The present tense of **acabar** + **de** + infinitive is used to render the English 'to have just' . . . :
e.g. acabo de terminar, acaban de llegar

(ii) **Hace . . . que**, **desde hace**, **llevar** with the present tense are used to translate the English perfect in sentences such as:
—*We have known her for two years.* Hace dos años que la conocemos.
—*I've been working here for a long time.* Trabajo aquí desde hace mucho tiempo.
—*He's been learning Spanish for 6 months.* Lleva seis meses estudiando español.

2. Preterite tense

Used in Spanish, as in English, when referring to completed actions in the past.

e.g. *Yesterday the train arrived late.* Ayer el tren llegó tarde.
Last year you went to Spain. El año pasado fuisteis a España.

Regular verbs ending in:

	-ar	**-er**	**-ir**
yo	habl/é	vend/í	viv/í
tú	habl/aste	vend/iste	viv/iste
él, ella, Vd.	habl/ó	vend/ió	viv/ió
nosotros, -as	habl/amos	vend/imos	viv/imos
vosotros, -as	habl/asteis	vend/isteis	viv/isteis
ellos, ellas, Vds	habl/aron	vend/ieron	viv/ieron

Verbs in *-ir* which change the stem-vowel in the 3rd person singular and plural:

e to i	preferir	prefirió, prefirieron
	pedir	pidió, pidieron
	despedir	despidió, despidieron
	seguir	siguió, siguieron
	servir	sirvió, sirvieron
o to u	dormir	durmió, durmieron

Irregular verbs:

dar	di, diste, dio, dimos, disteis, dieron
ser / ir	fui, fuiste, fue, fuimos, fuisteis, fueron
decir	dije, dijiste, dijo, dijimos, dijisteis, dijeron
traer	traje, trajiste, trajo, trajimos, trajisteis trajeron
hacer	hice, hiciste, hizo, hicimos, hicisteis, hicieron
venir	vine, viniste, vino, vinimos, vinisteis, vinieron
querer	quise, quisiste, quiso, quisimos, quisisteis, quisieron
estar	estuve, estuviste, estuvo, estuvimos, estuvisteis, estuvieron
tener	tuve, tuviste, tuvo, tuvimos, tuvisteis, tuvieron
poder	pude, pudiste, pudo, pudimos, pudisteis, pudieron
saber	supe, supiste, supo, supimos, supisteis, supieron

3. Imperfect tense

This tense is used:
(i) to describe what someone or something used to look like:
e.g. Era alto, moreno y guapo.
(ii) to indicate what used to happen, repeated actions in the past, etc.:
e.g. Iba con mucha frecuencia a Mallorca.

Regular verbs ending in:

	-ar	**-er**	**-ir**
yo	habl/aba	com/ía	viv/ía
tú	habl/abas	com/ías	viv/ías
él, ella, Vd	habl/aba	com/ía	viv/ía
nosotros, -as	habl/ábamos	com/íamos	viv/íamos
vosotros, -as	habl/abais	com/íais	viv/ías
ellos, ellas, Vds	habl/aban	com/ían	viv/ían

Irregular verbs:

ser	era, eras, era, éramos, erais, eran
ir	iba, ibas, iba, íbamos, ibais, iban
ver	veía, veías, veía, veíamos, veíais, veían

Note

1. The use of imperfect and preterite tenses in the following examples:

   (i) **Estaba** en el jardín cuando **sonó** el teléfono.
   (ii) Mientras vivía en Mexico hubo un terremoto.

2. Use of past continuous: imperfect of **estar** with present participle:
   e.g. estaba lloviendo/llovía.
   estaban tomando café/tomaban café.

4. Future tense

This tense is used to translate English 'I shall', 'he will' when referring to the future.

e.g. el año próximo compraré una casa.

Regular verbs ending in:

	-ar	**-er**	**-ir**
yo	hablar/é	comer/é	vivir/é
tú	hablar/ás	comer/ás	vivir/ás
él, ella, Vd.	hablar/á	comer/á	vivirá
nosotros, -as	hablar/emos	comer/emos	vivir/emos
vosotros, -as	hablar/éis	comer/éis	vivir/éis
ellos, ellas, Vds.	hablar/án	comer/án	vivir/án

Common irregular forms:

tener-tendré; poder-podré; saber-sabré; poner-pondré
salir-saldré; decir-diré; hacer-haré; querer-querré

As in English, the future can also be rendered by the verb 'to go': **ir a** with the infinitive.
e.g. voy a empezar ahora; vamos a ir a los E.E.U.U.

5. Conditional tense

This translates the English 'I would go', 'she would finish', etc.

e.g. yo iría; ella terminaría

Verbs ending in:

	-ar	**-er**	**-ir**
yo	hablar/ía	comer/ía	vivir/ía
tú	hablar/ías	comer/ías	vivir/ías
él, ella, Vd.	hablar/ía	comer/ía	vivir/ía
nosotros, -as	hablar/íamos	comer/íamos	vivir/íamos
vosotros, -as	hablar/íais	comer/íais	vivir/ías
ellos, ellas, Vds.	hablar/ían	comer/ían	vivir/ían

Irregular Forms:

As in the future tense with endings: -ía, -ías, -ía, -íamos, -íais, -ían:

e.g. sabría, podríamos, harían

6. Compound tenses
Perfect, pluperfect, future perfect, conditional perfect.

These tenses are formed by adding the past participle to the relevant tense of **haber**.

Perfect	***Pluperfect***	***Future Perfect***	***Conditional Perfect***	
he	había	habré	habría	+
has	habías	habrás	habrías	terminado
ha	había	habrá	habría	comido
hemos	habíamos	habremos	habríamos	vivido
habéis	habíais	habréis	habríais	etc.
han	habían	habrán	habrían	

Irregular Past Participles:

hacer — **hecho**; poner — **puesto**; ver — **visto**; volver — **vuelto**; abrir — **abierto**; decir — **dicho**; escribir — **escrito**.

Examples

Perfect: Han vuelto a España. *They have returned to Spain.*
No has hecho nada. *You've done nothing.*

Pluperfect: Ya había visto la película. *He had already seen the film.*
Habían ido antes. *They had gone before.*

Future: Habrás terminado para las cinco. *You will have finished by 5 o'clock.*

Perfect: Habrán estudiado el texto, ¿no? *They will have studied the text, won't they?*

Conditional Perfect: Sin tu ayuda, no habrían podido hacerlo. *Without your help, they would not have been able to do it.*

Lo habríamos hecho sin dificultad. *We would have done it without any difficulty.*

Note:

In many cases the pluperfect subjunctive is used as an alternative to the conditional perfect (see Section 13) without any change in meaning.
e.g. Sin tu ayuda, lo hubiéramos hecho sin dificultad;
No hubieran podido hacerlo.

7. Reflexive verbs

Reflexive verbs are those which describe or imply an action done to oneself, e.g. I wash myself, I have a shower.

Such verbs are rendered in Spanish as follows: **me lavo; me ducho.**

Reflexive verbs, e.g. **lavarse**, are conjugated as follows:

me lavo	nos lavamos
te lavas	os laváis
se lava	se lavan

With compound tenses, the reflexive pronouns precede the auxiliary verb **haber** thus:

me he lavado, te has lavado, se ha lavado

Note

(i) The past participle does not change

(ii) When using the infinitive of a reflexive verb, the reflexive pronoun *must* agree with the subject thus:
—vamos a divertir**nos**
—voy a vestir**me**

(iii) In examples such as (ii), the reflexive pronoun can also precede the verb:
—nos vamos a divertir
—me voy a vestir.

8. Passive and use of *se*

The passive in Spanish is translated

Either by:

(i) **ser** + past participle (agreeing) + agent:
e.g. El problema **fue solucionado** por el director. *The problem was solved by the director.*

Las leyes **fueron aprobadas** por las Cortes. *The laws were passed by Parliament.*

Or:

(ii) Use of **se** + third person of verb where there is no agent:
e.g. El problema **se solucionó** en seguida. *The problem was solved immediately.*

Las leyes **se aprobaron** en 1980. *The laws were passed in 1980.*

9. *Ser* and *Estar*

In Spanish there are two verbs 'to be': – **ser** and **estar**.

(1) **Ser** is used to express a permanent quality.

(2) **Estar** is used to indicate
  (i) something which is temporary or which denotes change from one state to another;
  (ii) position or location.

Examples of **ser**:

El chico es alto.	*The boy is tall.*
Soy inglés.	*I am English.*
Esto no es posible.	*This is not possible.*
¿Qué es?	*What is it?*
¿Cómo es?	*What is it like?*

Examples of **estar**:

Bilbao está en el norte de España.	*Bilbao is in the north of Spain.*
¿Cómo estás?	*How are you?*
Estamos cansados.	*We are tired.*
La puerta está cerrada.	*The door is closed.*
Está muerto.	*He is dead.*

Examples where use of **ser** or **estar** with same adjective affects meaning:

El niño es malo.	*The boy is naughty.*
El niño está malo.	*The boy is ill.*
Es lista.	*She is clever.*
Está lista.	*She is ready.*
Es aburrido.	*He is boring.*
Está aburrida.	*She is bored.*

10. Present subjunctive

The present subjunctive is formed from the first person of the present tense with the following endings:

Regular verbs:

	Comprar	**Vender**	**Escribir**
yo	compr/e	vend/a	escrib/a
tú	compr/es	vend/as	escrib/as
él, ellas Vd.	compr/e	vend/a	escrib/a
nosotros, -as	compr/emos	vend/amos	escrib/amos
vosotros, -as	compr/éis	vend/áis	escrib/áis
ellos, ellas, Vds	compr/en	vend/an	escrib/an

Note

This also applies to stem-changing verbs, e.g. **contar; pedir:**
—cuente, cuentes, cuente, contemos, contéis, cuenten
—pida, pidas, pida, pidamos, pidáis, pidan

Common irregular verbs:

ir	vaya, vayas, vaya, vayamos, vayáis, vayan
ser	sea, seas, sea, seamos, seáis, sean
saber	sepa, sepas, sepa, sepamos, sepáis, sepan
dar	dé, des, dé, demos, déis, den

11. Perfect subjunctive

This consists of the present subjunctive of **haber** + past participle:
haya, hayas, haya, hayamos, hayáis, hayan + hablado,
venido
dicho
escrito

12. Imperfect subjunctive

Spanish has two forms of the imperfect subjunctive. They are formed by taking the third person plural of the preterite, i.e. **hablaron**, and substituting **-RON** with:

Either: -ra, -ras, -ra, -ramos, -rais, -ran
e.g. habl**ara**, habl**aras**, habl**ara**, habl**áramos**, habl**arais**, habl**aran**

Or: -se. -ses, -se, -semos, -seis, -sen
e.g. habla**se**, habla**ses**, habla**se**, hablá**semos**, habla**seis**, habla**sen**

-er and **-ir** verbs follow the same pattern:
e.g. escribie**ra**, escribie**ras**, escribie**ra**, escribié**ramos**, escribie**rais**, escribie**ran**

or escribie**se**, escribie**ses**, escribie**se**, escribié**semos**, escribie**seis**, escribie**sen**

13. Pluperfect subjunctive

The pluperfect subjunctive consists of the imperfect subjunctive of **haber** + past participle:

hubiera, hubieras, hubiera, hubiéramos, hubierais, hubieran
hubiese, hubieses, hubiésemos, hubieseis, hubiesen
\+ hablado,
venido, etc

14. Uses of the subjunctive

(*a*) **In subordinate clauses:**

After **que** in expressions of wanting, hoping, forbidding, commanding, suggesting, where the subject differs from that of the main verb.

e.g. quiero que contestes en seguida (*but* — quiero contestar en seguida)
Esperamos que **vengas.** *We hope you come.*
Me dijeron que lo **hiciera.** ***They** told **me** to do it.*

(*b*) **After *que* in expressions of need:**

e.g. Es importante que **sea** claro. *It is important that it should be clear.*
Era imprescindible que **tuviéramos** más tiempo. *It was vital that we had more time.*

(*c*) **After *que* in expressions of doubt and uncertainty:**

e.g. No creo que **sea** difícil. *I don't think it is difficult.*
No pensaban que **llegara** la carta. *They didn't think the letter would arrive.*

(*d*) **In clauses beginning with *para que* (so that), *antes de que* (before) and *como si* (as if, as though):**

e.g. Le llamaré para que **sepa** donde estoy. *I'll ring him so that he knows where I am.*
Gasta dinero como si **fuera** rico. *He spends money as if he were rich.*

(*e*) **In clauses expressing the future after *cuando, en cuanto*, etc.:**

e.g. Cuando **lleguemos** a casa, comeremos. *When we arrive home, we shall eat.*
En cuanto **tenga** la oportunidad, iré. *As soon as I get the opportunity I shall go.*

(*f*) **In clauses beginning with *aunque* (even if):**

e.g. Lo compraré aunque **sea** caro. *I'll buy it even if it is expensive.*
(*but:* lo compro aunque es caro. *I buy it although it's expensive.*)

(*g*) **Subjunctive in main clauses:**

(i) Use after **quizas** / **puede que** — e.g. Quizás **sea** un poco difícil.

(ii) In exclamations: ¡**Viva** España! *Long live Spain!*
¡que **aproveche**! *Enjoy your meal!*

(iii) After **ojalá** — e.g. **¡Ojalá** pudieras venir! *I wish you could come!*

15. Imperative

This is part of the verb which is used to give orders or instructions e.g. wait there; listen to this; close the door; etc. In Spanish there are both familiar and polite forms.

(*a*) Familiar Imperative: Tú

(i) Formation: Take the **tú** form and omit the final **s**:

e.g.	esperas	=	espera	escribes	=	escribe
	vendes	=	vende			

N.B. Stem changing verbs follow the same pattern:

empiezas	=	empieza	vuelves	=	vuelve
duermes	=	duerme			

(ii) Common irregulars are:

decir	=	di	salir	=	sal
hacer	=	haz	tener	=	ten
poner	=	pon	irse	=	vete

(*b*) Familiar Imperative: *Vosotros*

(i) Formation: Replace the final **r** of the infinitive with **d**:

e.g.	esperar	=	esperad	escribir	=	escribid
	vender	=	vended			

N.B. Stem changing verbs follow the same pattern:

empezar	=	empezad	volver	=	volved
dormir	=	dormid			

(*c*) Familiar imperative: negative

To form the negative, the second person singular or plural of the present subjunctive is used: (See section 10)

e.g.	*Singular:*	no mires	*Plural:*	no miréis
		no vengas		no vengáis
		no vuelvas		no volváis
		no hagas eso		no hagáis eso

(*d*) Polite imperative

Formed from the present subjunctive in both positive and negative commands. (See section 10)

		Singular	*Plural*
e.g.	oir	(no) oiga	(no) oigan
	poner	(no) ponga	(no) pongan
	subir	(no) suba	(no) suban
	escuchar	(no) escuche	(no) escuchen

16. Por and Para

Both **para** and **por** translate the English 'for':

Para indicates *destination, purpose:*

e.g. Sale para Barcelona. *He's off to Barcelona.*
Se prepara para salir. *She's getting ready to go out.*
Para los estudiantes, es importante aprobar *For the students, it is important to pass.*

Por indicates *means, cause:*

e.g. Se hizo por necesidad. *It was done out of necessity.*
Por no hablar español, tuvo problemas. *Through not speaking Spanish, he had problems.*

Notes

(i) **¿Por qué?** and **¿para qué?** give an indication of the different uses:

e.g. ¿Por qué trabajas? (porque necesito el dinero) *Why do you work?*

¿Para qué trabajas? (para poder comprar un coche) *What are you working towards?/ Why are you working?*

(ii) **Por** translates 'for' meaning time to be spent in the future:

e.g. Voy a España por dos semanas. *I'm going to Spain for two weeks.*

(iii) **Para** translates time by which:
e.g. Podemos estar allí para el 15 de julio. *We can be there by July 15.*

17. Uses of lo

(*a*) **With masculine singular of adjective** to express the English 'What is good. . .', 'the good thing', etc.:

e.g. **Lo importante** es tener buena salud. *What is important is to be healthy.*
Hizo **lo necesario** para ganar. *He did what was necessary to win.*

(*b*) **With adjective + *que* + verb** to express the English 'how + adjective':

e.g. la gente no se da cuenta de **lo difícil** que es aprender un idioma. *People don't realise how difficult it is to learn a language.*

Los extranjeros no saben **lo caros** que son los hoteles en Londres. *Foreigners don't know how expensive hotels are in London.*

(*c*) **with *que* to express 'what':**

e.g. No sé *lo que* pasa. *I don't know what is happening.*
Me interesa *lo que* dices. *I'm interested in what you're saying.*

***Note:* Phrases with *lo*:**

Lo antes posible	*As soon as possible*
Lo siento	*I'm sorry*
Ya lo sé	*I know (it)*

18. Direct and indirect object pronouns

The direct object pronoun replaces the noun as in 'She sees the man; she sees *him*.'

Direct object pronouns in Spanish are as follows:

English	*Spanish*	*English*	*Spanish*
me	me	*us*	nos
you	te	*you*	os
you (Vd.)	le, las	*you* (Vds)	los, las
him, her	le, la	*them*	los, las

Position of direct object pronoun

(i) In most cases the object pronoun precedes the verb:
e.g. (Ella) nos ve. *She sees us.*
(Nosotros) os visitamos. *We visit you.*

(ii) With any compound tense the pronoun comes before **haber**:
e.g. Lo he hecho. *I have done it.*

(iii) With the infinitive the object pronoun can either be attached to the infinitive or precede it as follows:
Va a visitarme *or* Me va a visitar.

The indirect object pronoun in English is preceded by 'to':

e.g. *He sends it to me.*
N.B. 'to' is often omitted: e.g. *He sends me it.*

Indirect object pronouns in Spanish are as follows:

English	*Spanish*	*English*	*Spanish*
(to) me	me	*(to) us*	nos
(to) you (fam.)	te	*(to) you (fam.)*	os
(to) him, her, it	le	*(to) them, you*	les

e.g. Nos escribe las cartas. *He writes us letters (to us).*

To avoid confusion when using **le** or **les**, it is often necessary to add **a usted**, **a él**, **a ella**, **a ustedes**, **a ellos**, **a ellas**.
e.g. **Le** mando el cheque **a usted**. *I send you the cheque.*

Combination of direct and indirect object pronouns

As in English 'he gives it to me', 'we have sent it to them', etc. In such sentences in Spanish the *indirect* comes before the *direct* pronoun.

e.g.	*He gives me the letter.*	=	*He gives it to me.*
	Me da la carta.	=	Me la da.
	She sends us the telex.	=	*She sends it to us.*
	Nos manda el telex.	=	Nos lo manda.

Note:

When two pronouns beginning with **l** come together, **le** or **les** changes to **se**.

e.g.	Le he dado el correo.	*I have given him the mail.*
	Se lo he dado.	*I have given him it.*
	Les han entregado las mercancías.	*They have delivered the goods to them.*
	Se las han entregado.	*They have delivered them to them.*

Position of direct and indirect object pronouns with infinitive

Either:
These can precede the infinitive:
e.g. Te lo voy a explicar. *I'm going to explain it to you.*

or
They can be attached to the infinitive:
e.g. Voy a explicártelo.

19. Impersonal verbs

Impersonal verbs are frequently used in Spanish and always require the indirect object pronoun.

e.g. Me gust**a** el vino. *I like wine (i.e. the wine pleases me).*
Nos gust**an** las clases de español. *We like Spanish classes.*

Common verbs which follow this pattern are:

interesar:	Me interesa la idea.	*I'm interested in the idea*
parecer :	Les parecen difíciles las explicaciones	*They find the explanations difficult.*
importar:	No nos importa ir.	*We don't mind going.*
quedar :	No le quedan dólares.	*He hasn't any dollars left.*
faltar :	Os falta tiempo.	*You're short of time.*

Spanish-English Vocabulary

abarcar *to include*
abordar *to broach*
acabar de *to have just (done sth.)*
la acción *share*
el accionista *shareholder*
acelerar *to speed up; to accelerate*
la aceleración *acceleration*
acercarse a *to approach*
aclarar *to clarify*
el activo *assets*
el acuerdo *agreement*
adecuado *suitable*
la adhesión a la CE *joining the EC*
adinerado *prosperous*
adjuntar *to enclose*
la afluencia *influx*
agotar *to use up; to exhaust*
agotado *used up; exhausted*
ajustar *to adjust; to conform to*
alentador *encouraging*
la alimentación *food*
alimenticio *food (adj.)*
el almacén *warehouse*
almacenar *to store*
el almacenaje *storage*
alquilar *to hire; to rent*
el alza *rise*
el el ambiente *environment*
la amenaza *threat*
la ampliación *widening; expansion*
ampliar *to widen; to expand*
la antelación *prior notice (p.ej. 5 días de antelación)*
anular *to cancel*
la aportación *contribution*
el arrendatario *lessee*
asequible *accessible*
el asesor legal *legal adviser*
el asunto *matter*

el banco de datos *data base*
bajar *to lower*
a la baja *downwards*
la barrera *barrier*
bastar *to suffice; to be sufficient*
el beneficio *profit*
los bienes *goods*
la Bolsa *Spanish Stock Exchange*
los bonos *bonds*
bruto *net*
bursátil *Stock Exchange (adj.)*

caber *to fit*
caducado *expired; out of date*
la caducidad *expiry*
la calidad *quality*
la campaña de publicidad *advertising campaign*
el canal de distribución *distribution channel*
el capital *capital (financial)*
la carga completa, parcial *full, part load*
la carta-convenio *letter of agreement*
la cartera *briefcase*
la cifra de ventas *turnover*
la cita *appointment*
citarse con *to make an appointment, date*
la cláusula *clause*
comentar *to comment on*
la comercialización *marketing*
comercializar *to market*
compensar *to compensate*
la competencia *competition*
el competidor *competitor*
competir *to compete*
competitivo *competitive*
la compra *purchase*

la compraventa *buying and selling*
el comprador *purchaser*
comprar *to buy; to purchase*
comprobar *to check; to verify*
comprometerse a *to undertake to; to commit oneself to*
el compromiso *commitment*
la comunidad *community*
conceder *to grant; to concede*
la concesión *concession*
concretar *to specify*
confiar *to trust*
la confianza *trust; confidence*
confirmar *to confirm*
conformar con *to conform to*
conseguir *to manage to; to obtain*
el Consejo de Administración *the Board*
consolidar *to consolidate*
constar de *to comprise; to consist of*
el contable *accountant*
la contabilidad *accountancy*
contar con *to have; to count on*
contener *to contain*
el contenido *content*
contratar *to contract*
el contrato *contract;* un borrador de — *a draft contract*
el control de existencias *stock control*
el convenio *agreement*
convenir *to agree*
corriente *common*
el coste *cost, expense*
cotizar *to quote*
la coyuntura *economic climate, situation*
crecer *to grow; to increase*
el crecimiento *growth*
el criterio *criterion*
cubrir *to cover*
la cuenta *account*
cumplir *to fulfil*

dañar *to damage*
el daño *damage*
darse cuenta de que *to realise that*
los datos *data; information*
dedicarse a *to concentrate on; to be involved in*
el déficit *deficit*
la degustación *tasting*
desarrollar *to develop*
descartar *to discard; to rule out*
el descuento *discount*
el desembolso *initial payment; deposit*
desgravable *tax-deductible*
la desgravación *tax relief*
desgravar *to exempt from tax*
el desmantelamiento (arancelario) *removal of tariff barriers*
desmantelar *to remove; to dismantle*
el despacho *office*
destacado *outstanding*
destacar *to emphasise; to stress*
los detalles *details; arrangements*
la deuda *debt*
la devolución *handing back; return*
devolver *to return; to give back*
dictar *to dictate*
dificultar *to make difficult*
la dirección *address; direction*
el directivo *executive; director*
el diseño *design*
disfrutar de *to enjoy; to appreciate*
disponer de *to have; to possess*
disponible *available*
dispuesto a (*with* estar) *to be prepared, willing to*
el distribuidor *distributor*
distribuir *to distribute*
el dividendo *dividend*
dotado de (*with* estar) *to be supplied with; to have*
dotar de *to supply with; to give*
dudar en hacer algo *to hesitate to do something*

	ejercer *to carry out; to execute*
el	ejercicio *financial year*
la	elaboración *manufacturing process*
	elaborar *to produce; to manufacture*
el	embalaje *packaging*
	embalar *to package*
	embarcar *to ship*
el	embarque *embarcation*
el	emplazamiento *siting, placing*
	empeorar *to worsen*
el	empeoramiento *worsening*
el	empleado *employee*
la	empresa *company*
	empresarial *business (adj.); management (adj.)*
	empujar *to push*
el	empujón publicitario *advertising push*
	encajar *to fit in with; to dovetail*
el	encargado *person in charge*
	encargar *to give s.o. responsibility for; to entrust*
el	enfoque *focus; approach; slant*
	enseñar *to show*
	enterado *aware*
	enterarse de *to find out about*
	entregar *to deliver; to hand over*
la	entrega *delivery*
la	entrevista *interview*
	entrevistarse con *to have an interview with*
el	envase *packing*
	enviar *to send*
el	envío *delivery; consignment*
la	época *epoque; time*
el	equipo *team; equipment*
	escribir *to write*
	esforzarse en *to endeavour to*
el	esfuerzo *effort*
	especializarse en *to specialise in*
	especificar *to specify*
la	estimación *estimate; estimation*
	estimar *to estimate*
	estimular *to stimulate*
el	estímulo *stimulus*
la	estragegia *strategy*
	estratégico *strategic*
el	estudio de mercado *market study;*
	estudio de viabilidad *feasibility study*
la	etiqueta *label*
	europeizarse *to become European*
	eventual *potential*
el	excedente *surplus*
	exceder *to exceed*
la	exclusiva, la exclusividad *exclusivity; exclusive rights*
	exento *exempt*
	exigente *demanding*
	exigir *to demand; to require*
las	existencias *stocks*
el	éxito *success*
	experimentado *experienced*
	experimentar *to experience*
la	explotación del mercado *exploitation of the market*
	explotar *to exploit; to take advantage of*
la	exportación *export*
	exportar *to export*
la	extensión del mercado *the enlargement of the market*
	extender *to spread; to widen*
	extrañarse *to be surprised*
	extranjero *foreign; foreigner*
	extraño *strange; unusual*
la	fábrica *factory*
	fabricar *to manufacture*
la	factibilidad *feasibility*
	factible *feasible*
la	factura *bill; invoice*
	facturar *to bill; to invoice*
la	falta *lack*
	faltar *to lack*
la	fecha *date*

la feria de muestras *trade fair*
fiable *reliable; trustworthy*
la fiabilidad *reliability*
la fianza *guarantee*
fiarse de *to trust*
fijar *to fix; to set*
fijo *definite*
la filial *subsidiary*
a finales de *at the end of*
la firma *signature*
firmar *to sign*
fiscal (el año fiscal) *tax (adj.)*
el folleto *leaflet*
el fomento *promotion*
los fondos *funds*
la formación *training*
el formulario *form*
la fuerza *strength*
la fecha de vencimiento *date limit*
la fecha de caducidad *expiry date; sell-by date*
funcionar *to work*
fundar *to found; to establish*
la fusión *merger*
fusionar *to merge*

la galleta *biscuit*
galletero *biscuit (adj.)*
la gama *range*
garantizar *to guarantee*
la garantía *guarantee*
gastar *to spend*
los gastos *expenditure*
el gerente *manager*
la gestión *management*
gestionar *to manage*
el gobierno *government*
goloso *sweet-toothed*
gozar de *to enjoy; to have*
gubernamental *government (adj.)*
el gusto *taste*

homologado *standardised*
la homologación *standardisation*
el hueco en el mercado *gap in the market*
la huelga *strike*

idóneo *suitable*
la imagen *image*
impactar *to have an impact*
el impacto *impact*
la importación *import*
importar *to import*
el importe *total sum*
imprescindible *indispensable, vital*
impresionar *to impress*
impresionante *impressive*
el impuesto *tax*
el incendio *fire*
incidir en *to affect*
la incorporación *inclusion*
incorporarse en *to become a part of*
incrementar *to increase*
el incremento *increase*
el incumplimiento *failure to do something*
el índice *rate, index*
el informe *report*
la informática *computerisation*
informatizado *computerised*
informatizar *to computerise*
ingresar *to pay in*
inscribir *to enrol*
la inscripción *enrolment*
inspeccionar *to inspect*
intentar (+ *inf.*) *to try to do something*
el intento *to attempt*
el intercambio *exchange*
interesarse en *to be interested in*
interferir *to interfere*
la intervención *intervention*
intervenir en *to intervene in*
la inversión *investment*
el inversor *investor*
invertir *to invest*
el IVA *VAT*

el jefe *boss*
la jornada de trabajo *working day*
la Junta Directiva *Board of Directors*
juntar *to join*

el lanzamiento *launch*
lanzar *to launch*
la lata *box, tin*
la lealtad a la marca *brand loyalty*
limitarse a *to limit oneself to*
el límite *limit*
el lío *fix; problem*
el local *premises*
localizar *to locate*
lograr *to manage to*
el logro *success; achievement*
llamar *to telephone*
la llamada *telephone call*
llamativo *exciting, appealing*

la magnitud *size*
la maleta *suitcase*
mandar *to send*
la mano de obra *labour force, work force*
la marca *brand*
el margen comercial (de venta) *mark-up*
la materia prima *raw material*
el mayorista *wholesaler*
la medida *measure, step*
el mercado *market*
las mercancías *merchandise*
merecer *to be worth; to merit*
el minorista *retailer*
montar *to set up*
el montaje *assembly*
la muestra *sample*

necesitar *to need*
negar *to deny*
neto *net*
nombrar *to appoint*
la nómina *pay-roll*
notable *considerable*

el objetivo *objective; aim*
el objeto *object*
la oferta *offer*
el oficio *job, work*
ordenado *ordered, tidy*
el ordenador *computer*
ordenar *to arrange; to tidy up*
opinar que *to think that; to be of the opinion that*
oportuno *opportune*
optar por *to opt for*

el pabellón *pavilion*
pactado *agreed*
pactar *to agree, to come to terms*
pagar al contado *to pay cash*
el papel *role*
la parte del mercado *market-share*
el pasivo *liabilities*
paulatinamente *gradually*
el pedido *order*
pedir *to order*
la pega *obstacle*
perder *to lose*
la pérdida *loss*
el perfil del consumidor *consumer profile*
perjudicar *to damage*
el permiso *licence, permission*
la perspectiva *prospect*
la pinta *appearance*
la planificación *planning*
la planta *plant*
la plantilla *staff*
plantear un problema *to pose a problem*
el plazo *period of time*
el poder *power*
el polígono industrial *industrial estate*
el preaviso *notice*
el precio: al por mayor *wholesale price;* — al por menor *retail price*
precisar *to outline; to detail*
el precontrato *draft contract*
el prefijo telefónico *telephone code*
preocuparse de *to worry about*
el presupuesto *budget*
pretender *to claim*
prever *to foresee*
la previsión *forecast*
la prima *bonus*
probar *to try; to taste*
procurar hacer algo *to manage to do something*

	producirse *to occur; to happen*
el	promedio *average*
	pronosticar *to forecast*
el	pronóstico *forecast*
	proponer *to propose*
	proporcionar *to supply*
la	propuesta *proposal*
el	proyecto *project, plan*
el	puesto de trabajo *job*
	quebrar *to break*
	quedar con *to arrange to meet*
	quedar (se) *to remain*
la	queja *complaint*
	quejarse de *to complain about*
	querer decir *to mean*
la	quiebra *bankrupcy*
el	ramo *area, branch, sector*
la	realización *achievement*
	realizar *to achieve*
	rebajar los precios *to lower prices*
las	rebajas *sales*
la	receta *recipe*
el	recibo *receipt*
la	reclamación *complaint*
	reclamar *to complain*
los	reclamos *advertisements*
	recoger datos *to collect data*
	recompensar *to be worthwhile*
	rectificar *to rectify*
el	recurso *resource*
la	red *network;* — de comunicaciones *communications network*
la	redacción *drawing up of*
	redactar *to draw up; to write*
	relacionar *to list*
	rellenar *to fill in*
	remitir *to send*
la	rentabilidad *profitability*
	rentabilizar *to make profitable*
	rentable *profitable*
	repercutir en *to have an effect on*
la	repercusión *effect; repercussion*
	requerir *to require*
los	requisítos *requirements*
	respaldar *to support*
	restar *to subtract*
	retirar *to withdraw*
el	reto *challenge*
	retrasado (*with* estar) *to be behind*
el	retraso *delay, backwardness*
la	reunión *meeting*
	revisar *to revise*
la	revisión *revision*
el	robo *theft*
	rogar *to request*
	romper *to break*
la	rotación de existencias *stock rotation*
el	saldo *balance*
la	salida *outlet*
	saludar *to greet*
	sanitario *health (adj.)*
el	sector *sector*
	sectorial *sector (adj.)*
	según *according to*
los	seguros *insurance*
	semestral *six-monthly*
el	semestre *period of six months*
el	sindicato *trade union*
el	sinfín *an endless amount of*
	sobrepasar *to exceed*
el	socio *member, partner*
	soler *to normally do something (e.g.* suele pagar al contado*)*
	solicitar *to apply for*
la	solicitud *application*
	solucionar *to solve*
	someter *to submit*
	sonar *to sound*
	soportar *to bear*
	sostener *to sustain*
	subcontratar *to subcontract*
la	subida *rise*
	subir *to rise; to go up*
	subrayar *to stress; to underline*
la	subvención *subsidy, grant*
la	sucursal *branch*

el sueldo *wages*
la sugerencia *suggestion*
sugerir *to suggest*
la suma *sum*
sumar *to add*
la superficie *surface area*
el surtido *assortment*

el tamaño *size*
la tarea *task*
la tarjeta de crédito *credit card*
la tasa de crecimiento *growth rate*
la tendencia del mercado *market trend*
tender a *to tend to*
los términos *terms*
el terreno *land*
el territorio *territory*
la tienda de ultramarinos *specialist food shop*
torcer *to turn*
la tramitación *processing*
tramitar *to process*
los trámites *procedures; red tape*
tratar con *to deal with*
el trato; trato hecho *deal; it's a deal*
tutear *to use* 'tú'

la ubicación *location, position*
ubicado *located; situated*
ubicar *to locate; to place*
últimamente *recently*
último *latest; last*
único *unique; single*
la unidad *unity*
la urbanización *housing development; estate*
útil *useful*
utilizar *to use*

vacilar *to hesitate*
valer *to be worth*
la validez *validity*
válido *valid*
el valor *value*
la valoración *evaluation; assessment*
valorar *to evaluate; to assess*
variar *to vary*
vencer *to fall due; to be due*
la venta *sale*
la ventaja *advantage;* — sobre la competencia *competitive edge*
ventajoso *advantageous*
la verdad *truth*
verdadero *true; real*
la verificación *verification*
verificar *to verify*
la viabilidad *viability; feasibility*
viable *viable*
la vigencia *being in force*
vigente *applicable; in force; current;* las normas vigentes *current regulations*
vincular *to link*
el vínculo *link*
el volumen de ventas *turnover; sales volume*
la voluntad *will; wish; desire*
volver *to return*
el vuelo *flight*
la vuelta *return*